INOUE Hisashi

Je vous écris

**Roman traduit du japonais
par Karine Chesneau**

OUVRAGE PUBLIÉ AVEC LE CONCOURS
DU CENTRE NATIONAL DES LETTRES

*Éditions
Philippe Picquier*

Titre original : *Ju ni nin no tegami*

© 1978, Inoue Hisashi
   Originally published in Japan
© 1997, Editions Philippe Picquier
   pour la traduction en langue française
© 2000, Editions Philippe Picquier
   pour l'édition de poche

   B.P. 150
   Mas de Vert
   13631 Arles cedex

En couverture : © Ohta Saburo

Conception graphique : Picquier & Protière

ISBN : 2-87730-489-2
ISSN : 1251-6007

Sommaire

Introduction

L'auteur de cet ouvrage, Inoue Hisashi (à ne pas confondre avec Inoue Yasushi) est un écrivain prolifique, souvent primé, très populaire au Japon. *Je vous écris* est son premier livre traduit en français. Doué d'une imagination débordante à l'humour corrosif, il est très critique vis-à-vis de la société japonaise, et nombre de ses écrits sont influencés par sa vie personnelle.

Né en 1935 à Yamagata (province du Nord du Japon) dans une famille aisée, il perd son père à l'âge de quatre ans. Sa mère élève donc seule ses deux fils, mais se trouve rapidement ruinée par un amant indélicat parti avec son argent. Elle confie alors ses deux enfants à des missionnaires catholiques français qui tiennent un orphelinat. C'est durant ces années de vie rurale, modeste et chrétienne que Hisashi découvre avec étonnement l'élégance des enfants de la capitale venus se réfugier à la campagne pendant la guerre. Puis, lycéen, il voit beaucoup de films américains, en particulier des comédies musicales, qui lui donnent le sens de la mise en scène.

Par la suite, le jeune Inoue se rend à Tôkyô pour étudier la langue française. Là, il découvre la vie d'une grande cité, habitant des dortoirs, des foyers, déménageant sans cesse. Une fois marié et père de famille, il se stabilise, et sa femme, issue d'un quartier populaire de Tôkyô lui fait connaître une autre culture. Tout en poursuivant ses études, il écrit des sketches pour un théâtre de strip-tease, et des scénarios pour la télévision. Son diplôme en poche, il commence alors une carrière d'homme de plume, explorant des domaines d'écriture très variés.

Inoue Hisashi écrit notamment des pièces de théâtre mettant en scène des personnages historiques, comme *Les Aventures du moine Dôgen*, ou bien abordant le milieu des strip-teaseuses dans *La Traduction extravagante de l'Evangile*, un récit à caractère érotique. Il est aussi l'auteur de romans historiques ou de science-fiction, parmi lesquels le plus célèbre, *Le Peuple de Kiri-Kiri*, raconte l'histoire d'une commune de l'archipel nippon qui déclare son indépendance au gouvernement japonais… D'autres récits, plus courts, évoquent des épisodes de sa vie personnelle, ou encore l'époque Edo comme *Le Double Suicide menotté* qui obtient le prestigieux prix Naoki. L'auteur publie même en 1972 un récit intitulé *Chère Brigitte Bordeaux*.

En dépit de ses nombreuses attaques contre la société japonaise, on a le plus grand mal à discerner chez Inoue la part de sincérité et celle de la plaisanterie, et ses textes sont souvent à prendre au second degré. Son attirance pour les jeux de mots rend d'ailleurs difficile la traduction de ses ouvrages. *Je vous écris* est toutefois un bon exemple de son originalité et de son sens de la mise en scène.

Faut-il présenter ce livre-ci comme un roman psychologique, un roman policier ou un recueil de nouvelles ? C'est en réalité tout cela à la fois. Les dix personnages de *Je vous écris* (en fait, ils sont douze dans le texte japonais, mais deux chapitres ont été supprimés en raison des difficultés de traduction qu'ils présentaient), en général des femmes, souvent originaires du Nord, le lecteur ne les rencontrera jamais directement. Il ne fera graduellement leur connaissance qu'à travers toutes sortes d'écrits aussi divers que lettres à une amie, à un amant, à des parents, courrier d'un psychiatre au mari de sa cliente, réponses à une petite annonce, actes de naissance, certificats médicaux, articles de journaux, etc. Ces personnages ne se connaissent d'ailleurs pas entre eux ou n'ont pratiquement aucun lien jusqu'au chapitre final. Mais chacun des dix chapitres mettant en scène les différents acteurs s'achève sur un rebondissement imprévu, permettant de découvrir sous un jour nouveau tel homme ou telle femme que le lecteur imaginait banal et ordinaire. Exemple, cette jeune provinciale débarquée à Tôkyô qui tue par dépit la fille de son amant, et que l'on retrouvera au dernier chapitre, puisque c'est à cause d'elle qu'un événement (dont il ne faut pas dévoiler ici la teneur) fera se croiser tous ces destins…

KARINE CHESNEAU,
avec la collaboration de MICHIKO NAITO,
étudiante aux Langues orientales,
préparant une thèse sur Inoue Hisashi,
à l'origine de nombreuses notes
dans le présent ouvrage.

Eres de l'époque moderne : Meiji (1868-1912), Taishô (1912-1926), Shôwa (1926-1989), Heisei (1989-), mais en raison du mode de calcul nippon, il nous faut compter à partir de 1988.

Afin de garder une certaine authenticité, nous n'avons pas occidentalisé la date pour la traduction des textes administratifs, officiels, etc…

Autre différence importante : dans la tradition épistolaire japonaise, la date et le nom du destinataire figurent en fin de texte. Mais pour la commodité de la lecture, nous avons adopté la présentation à la française.

I

PROLOGUE – LE DIABLE

1

Le 23 mars

Chers parents,

Quand je pense qu'hier soir encore, j'étais auprès de vous, et maintenant je vous écris cette lettre sous le ciel de Tôkyô dans un quartier populaire, j'ai vraiment l'impression de rêver.

Je suis arrivée ce matin à la gare d'Ueno à sept heures vingt-cinq. Comme je suis restée assise huit heures de suite, pendant tout le voyage depuis Hanamaki[1], j'étais très fatiguée. Et avec la pluie qui est tombée sans arrêt à partir de Mito, mon angoisse ne cessait d'augmenter. Mais rassurez-vous car, dès que j'ai vu tous ces quais par la fenêtre du train qui venait de s'engouffrer dans la gare, ma fatigue et mon angoisse se sont envolées. Il y avait un monde incroyable à Ueno. Les gens surgissaient de toutes parts les uns derrière les autres, comme dans un flot continu. Je me suis dit : « C'est donc ça, Tôkyô ! Il y a tant de personnes qui y vivent et y travaillent ». Mais lorsque j'ai réalisé que j'allais faire partie moi

---

1. Dans la région du Tôhoku, au nord de l'île principale de Honshû, considérée comme étant encore très traditionnelle.

aussi de cette foule dès aujourd'hui, j'ai vite repris courage.

Mon patron attendait sur le quai en tenant bien en vue une grande feuille de papier sur laquelle était inscrit « Maison Funayama ». Il est beaucoup plus jeune que papa, il m'a dit qu'il venait d'avoir quarante et un ans, le mois dernier. C'est quelqu'un de très gentil. Ce que vous avez certainement deviné, puisqu'il a pris la peine de venir me chercher en voiture à la gare d'Ueno. Dans la voiture, il m'a donné un chewing-gum en me disant que je n'avais sans doute pas eu le temps de me laver les dents ce matin. Et que si j'avais la bouche pâteuse, je devais le mâcher. J'aimerais que vous lui écriviez pour le remercier.

Je suis arrivée devant l'immeuble Funayama un peu après huit heures et demie. Quand on traverse une grande rivière sale appelée l'Arakawahôsuirô[1], on tombe un peu plus loin sur le quartier animé d'Aoto. Devant la gare se dresse un immeuble commercial de quatre étages qui est la maison-mère de la société Funayama. Au sous-sol, il y a un salon de thé, au rez-de-chaussée et au premier, un *pachinko*, au deuxième un restaurant, au troisième une salle de mah-jong. Les bureaux et le dortoir des employés se trouvent au quatrième étage. Dès demain, je travaillerai dans ces bureaux-là. Mais j'ai confiance en moi, je sais me servir du boulier et tenir des livres de compte. Et je suis décidée à faire de mon mieux afin que mon patron se félicite de m'avoir engagée.

Ma chambre de trois tatamis[2] est orientée au sud. La fenêtre donne sur une mer de lumières, et là où

---

1. Canal d'évacuation de l'Arakawa.
2. La superficie des pièces est calculée en tatami (1,80 x 0,90). Elle est donc minuscule.

elles brillent le plus, il paraît que c'est le quartier de Koiwa [1]. Il y a un instant, mon patron est passé me voir pour me dire qu'il rentrait chez lui et il m'a demandé si je n'avais besoin de rien.

Et voilà, je m'y mets dès demain. Portez-vous bien tous les deux. Vous n'avez pas à vous inquiéter pour moi. Prenez bien soin de mon petit frère Hiroshi.

Votre fille Sachiko

2

Le 23 mars

Monsieur le professeur Ueno,

Je vous remercie de m'avoir accompagnée hier soir à la gare. Grâce à vous, je suis bien arrivée à Tôkyô ce matin. Et comme mon patron, M. Taichi Funayama, est venu me chercher à la descente du train, je n'ai pas pu me perdre. M. Funayama m'a dit qu'il avait une dette de reconnaissance envers vous encore aujourd'hui. Il m'a expliqué que quand vous étiez étudiants, vous lui montriez toujours vos copies au moment des examens.

Je voudrais vous remercier de m'avoir aidée à trouver une aussi bonne place. Je vous serai reconnaissante toute ma vie de m'avoir permis de réaliser mon rêve insensé, venir travailler à Tôkyô plutôt que de rester dans ma région. Et je fais le vœu de m'appliquer avec ardeur au travail, en m'imprégnant de votre enseignement lors de mes années d'étude. Je vous prie, tandis que je resterai proche en pensée de mon lointain pays natal, de bien vouloir continuer à

---

1. De nombreuses hôtesses de bar travaillent dans ce quartier.

me guider dans l'avenir. A présent, je me permets de poser ma plume tout en vous souhaitant une bonne santé.

Sachiko Kashiwagi

3

Le 23 mars

Ma chère Mitsu,

Je te remercie de m'avoir accompagnée hier. Je viens juste de terminer une lettre à notre professeur, M. Keiichi Ueno. On n'est pas vraiment décontracté quand on écrit à un professeur ! Et comme cela commençait à m'embêter, à la fin j'ai recopié intégralement les phrases données en exemple dans un livre intitulé *Comment écrire – Modèles de lettres de femmes*.

A propos, j'ai été étonnée de découvrir combien mon patron était jeune. Quarante et un ans ! J'aurais bien aimé qu'il ait quelques années de plus, et que son fils ait l'âge d'aller à l'université. Car je m'étais un peu imaginé que je pourrais tomber amoureuse de cet étudiant et réussir finalement à devenir sa jeune épouse. Mais quand je suis allée me présenter chez mon patron, qui habite à cinq minutes à pied de l'immeuble Funayama, j'ai vu apparaître son fils aîné de douze ans et sa fille de huit ans. Tu comprends ma déception ! Mon patron est sympathique, mais je n'aime pas sa femme, elle est hautaine et distante. Lorsque je me suis inclinée devant elle pour la saluer, elle a regardé ailleurs. Et comme je m'apprêtais à enfiler mes chaussures au moment de prendre congé, je l'ai entendue dire à mon patron :

14

« Mais cesse de faire entrer les employés dans le vestibule. Tu n'as qu'à les faire passer par la porte de la cuisine. Pour ces choses-là, il faut respecter les règles… »

Quelle horrible bonne femme !

A propos, tu m'as demandé plusieurs fois pourquoi je partais à Tôkyô alors que j'avais trouvé un poste à la banque Iwate Shokusan.

Pour résumer, je ne voulais plus rester à la maison. Mes vieux se disputent sans arrêt. Je préférerais encore qu'ils finissent par en venir aux mains, comme ils le faisaient auparavant, mais ces derniers temps ils se lancent seulement des regards froids. Pendant une semaine, mais parfois dix jours, et même plus de quinze, ils n'échangent pas un seul mot. Par-dessus le marché, mon père devient un véritable ivrogne, et il tape sur mon frère pour un oui ou pour un non. Il semblerait que mon père a trompé ma mère, ce qui aurait déclenché cette guerre froide. Moi, j'en ai assez d'être mêlée à cela, voilà pourquoi j'ai laissé tomber la banque Iwate Shokusan. C'est dommage mais je ne pouvais pas faire autrement.

… Quand j'écris les raisons qui m'ont poussée à venir à Tôkyô, je m'aperçois que cela tenait à peu de chose finalement. J'aurais peut-être mieux fait de rester travailler à la banque avec toi là-bas. Bon, j'arrête de me lamenter. Je dois persévérer à tout prix. Porte-toi bien. Ecris-moi, s'il te plaît.

Ton amie Sachi

4

Le 23 mars

Hiroshi,

Je suis seule et tranquille maintenant, mais pour toi ce doit être encore pénible. Ne te laisse pas abattre et étudie le mieux possible. Plus qu'un an avant d'avoir fini le lycée. Essaie de tenir jusque-là et tu pourras venir à Tôkyô pour la rentrée au printemps prochain. En attendant, je vais beaucoup travailler pour inspirer confiance à mon patron et je lui demanderai de te trouver un travail ici pendant tes études à l'université. Je t'envoie mille yens.

Ta sœur Sachiko

5

Le 20 avril

Chers parents,

Aujourd'hui, j'ai reçu pour la première fois de ma vie ce qu'on appelle un salaire. Je vous joins un mandat de cinq mille yens, et j'aimerais que vous alliez manger quelque chose de bon tous les deux avec Hiroshi. Ma société marche bien, c'est pourquoi j'ai beaucoup de travail. Jusqu'à huit heures, à peu près tous les soirs, je classe les factures. Ensuite, je vais aux bains publics du quartier, je me couche vers dix heures. Voilà quel a été mon emploi du temps pendant ce mois qui vient de s'écouler. En mai, le deuxième immeuble de la Maison Funayama sera achevé, dans le quartier de Tateishi, près d'ici. Je suis ravie car je serai encore plus occupée et je toucherai des heures supplémentaires. Prenez bien soin de Hiroshi. Je vous souhaite une bonne santé.

Votre fille Sachiko

6

Le 20 avril

Hiroshi,

Devine combien j'ai gagné ce mois-ci ? Dix-huit mille yens ! Ce n'est pas mal, non ? Je suppose que le premier salaire d'un diplômé d'université est en général moins élevé. Il faut dire que si j'ai touché un si « bon salaire », c'est parce que j'ai fait beaucoup d'heures supplémentaires. Et je vais te confier un secret qu'il ne faut révéler à personne : mon patron m'a donné dix mille yens de plus, en récompense de mon travail. Je t'en donne trois mille. Mais ne t'achète pas à manger avec cet argent. Emploie-le pour t'offrir des à-côté, comme des livres de classe ou des disques. Ecris-moi, s'il te plaît.

Ta sœur Sachiko

7

Le 25 avril

Monsieur le professeur Ueno,

J'ai reçu il y a quelques jours un salaire pour la première fois de ma vie. Et tandis que je me demandais ce que j'allais acheter, ou ce que j'allais en faire, votre visage m'est soudain apparu. Car c'est à vous que je dois d'avoir reçu un tel salaire. J'ai pensé qu'il me fallait d'abord utiliser cet argent pour vous offrir un cadeau de remerciement. Aujourd'hui étant jour de congé, je suis allée dans les grands magasins et je vous ai fait envoyer une cravate avec une épingle. Je la voulais assortie à la veste marron que vous portez de temps en temps, mais il est possible que vous la trouviez un peu trop classique. Dans ce cas, sachez que le responsable est mon patron, M. Funayama. Pour dire la vérité, M. Funayama m'a suivie toute la journée. Chaque fois que je choisissais quelque chose, il intervenait aussitôt en s'exclamant que c'était bien trop voyant pour un homme comme vous. Et à force de subir des interventions de ce genre, j'ai fini par me tourner vers des articles de plus en plus classiques... Quoi qu'il en soit, je tenais à vous remercier encore une fois. J'espère que vous prenez bien soin de votre santé.

Sachiko Kashiwagi

8

Le 23 mai

Ma chère Mitsu,

Tu m'écris que tu as un amoureux. Félicitations ! Tout de même, ta lettre d'aujourd'hui était pleine de phrases interminables ! Tu n'arrêtes pas de me vanter ses mérites. Ce n'est pas pour me venger, mais je dois t'avouer qu'en réalité j'ai moi aussi quelqu'un qui me plaît. C'est un bourreau de travail. On ne peut

18

pas dire qu'il soit beau, bien bâti, mais il est gentil. De temps en temps, nous nous retrouvons seuls tous les deux dans le bureau. Dans ces moments-là, j'ai le cœur qui se serre, je n'arrête pas de faire des erreurs de calcul sur le boulier. Et quand j'apporte le thé, il m'arrive de le renverser, ou des choses de ce genre. Mais ce qui est triste, c'est qu'il a une famille. Et ce qui est encore plus triste, c'est qu'il ne connaît pas mes sentiments. En un mot, c'est un triste amour non partagé !

Je prie pour que tu sois heureuse en amour.

Ton amie Sachi

9

Le 6 juin

Mon pauvre Hiroshi,

J'ai lu plusieurs fois de suite la lettre où tu m'écris que tu as jeté papa par terre dans le vestibule, et qu'à ce moment-là, tu as eu envie de mourir. Je sais parfaitement ce que tu ressens quand tu me dis : « Si le vieux m'avait rendu mes coups, et si c'était lui qui m'avait jeté par terre, j'aurais pu me réconcilier avec lui, j'en suis sûr. Mais maintenant que j'ai gagné contre le vieux, c'est fini. A cause de ces coups, lui et moi nous sommes devenus des ennemis pour la vie. Il ne me pardonnera jamais ».

Je te comprends très bien et moi aussi, en réalité, je ne peux plus me réconcilier avec maman. Nous en resterons là pour la vie. Car, à la fin de l'année dernière, tard dans la nuit, j'ai vu maman coucher avec papa. S'ils avaient été un couple uni, c'eût été

19

compréhensible. Ils sont mariés, ce serait donc normal qu'ils dorment dans les bras l'un de l'autre tout nus dans le même lit. Mais alors qu'ils ne s'adressent plus un mot de la journée, qu'ils se lancent des regards froids effrayants, que leur comportement nous a rendu la vie infernale à la maison, la nuit, maman s'agrippe à papa qui empeste l'alcool. C'était un spectacle horrible. J'en ai eu la nausée et j'ai vomi. Je trouvais cela tellement dégoûtant… C'est à ce moment-là que j'ai pris la décision de quitter la maison. Si tu détestes papa, déteste-le à fond, jusqu'au bout.

Je comprends très bien ton envie de partir toi aussi. Mais attends deux ou trois jours. Je vais demander à mon patron s'il ne pourrait pas t'embaucher. Puisque de toute façon tu vas quitter la maison, j'imagine que tu préférerais être avec moi plutôt que d'habiter tout seul. Quand j'aurai réussi à convaincre mon patron, je t'enverrai un mot sur une carte postale. Disons que mon texte sera peut-être : « Je t'ai envoyé deux jeans dans un colis séparé. » Si tu lis ces mots sur ma carte, alors, quitte discrètement la maison. Je te joins cinq mille yens pour tes frais de train. Tiens-toi prêt à partir.

Ta sœur Sachiko

10

Le 6 juin, quatre heures de l'après-midi

Monsieur le directeur,
J'aurais un service à vous demander, et ce sera le seul que je vous demanderai de toute ma vie. Je vous

prie de m'excuser de vous déranger alors que vous êtes tellement occupé, mais pourriez-vous me consacrer une demi-heure ? Je serai ce soir à onze heures dans le bureau des employés. Peut-être est-ce un peu trop tard pour vous. Mais je préférerais que les autres ne nous entendent pas.

Sachiko Kashiwagi

11

Le 8 juin

Hiroshi,
Je t'ai envoyé deux jeans dans un colis séparé.

Sachiko

12

Le 15 juin

Chers parents,
Soyez rassurés car Hiroshi a trouvé un travail chez un teinturier près de la gare d'Ueno par l'intermédiaire de mon patron. Comme je vous l'ai dit au téléphone, je pense que c'est bien ainsi. Vous n'avez aucun souci à vous faire, le gérant de la teinturerie est quelqu'un de compréhensif, Hiroshi loge chez lui et doit suivre les cours du soir au lycée. Il vaut mieux que vous vous occupiez de vos problèmes personnels, plutôt que des nôtres. Et ne venez pas chercher

Hiroshi. Je ne suis plus une enfant. Je peux régler moi-même nos problèmes.

Votre fille Sachiko

P.-S. : Je change d'adresse à partir d'aujourd'hui. Je m'installe dans le deuxième immeuble de la Maison Funayama, devant la gare de Tateishi. J'ai été nommée responsable du restaurant *Darling*. On ouvre dans cinq jours. J'ai l'intention de chercher un appartement dans le quartier, dès que tout sera organisé.

13

Le 27 juin

Ma chère Mitsu,

Cela faisait longtemps que je ne t'avais pas donné de mes nouvelles. Excuse-moi. J'ai été très occupée pendant tout ce mois, si bien que je t'avais complètement oubliée. C'est en recevant ta lettre, que l'on m'a fait suivre d'Aoto, que je me suis soudain souvenue de toi. J'ai trouvé que je n'étais pas très gentille !

En fait, j'ai eu une promotion importante, et je suis donc tout le temps en train de courir. Te rends-tu compte, j'ai été nommée responsable d'un restaurant de trente-cinq couverts ! Mon travail consiste essentiellement à tenir la caisse. Comme je suis en contact avec la clientèle, maintenant, je me maquille. J'ai aussi changé de coiffure. Alors, chaque fois que je me vois dans une glace, je m'arrête. Et je me dis « Tiens ! Qui est donc cette belle fille ? » Je plaisante, bien sûr, mais je suis en pleine forme.

A propos, dans ta lettre que j'ai reçue aujourd'hui, tu me demandes si je ne suis pas amoureuse de mon patron. Comment as-tu fait pour deviner ? Est-ce moi qui te l'ai fait comprendre ? De toute façon, j'ai renoncé à cet amour à sens unique. Quand on aime, autant s'aimer à deux. Je plains vraiment mon patron. Il paraît que sa femme est jalouse, dépensière et sans cœur. Je l'ai déjà surpris en train de murmurer : « Qu'elle crève ! » L'autre jour, j'ai vu des larmes glisser sur ses joues tandis qu'il regardait une photo de ses enfants. Et il a dit : « Si seulement je n'avais pas ces enfants, j'abandonnerais tout et je filerais au loin avec celle que j'aime. »

Tu vois de qui il voulait parler ? Comme tu as de l'intuition, je n'ai pas besoin de te donner la réponse, n'est-ce pas ? Dis bonjour à ton amoureux de ma part.

Ton amie Sachi

14

Le 4 juillet, neuf heures du matin

Monsieur Taichi,

Il est huit heures et demie du matin. Je dois bientôt aller au restaurant. Je voulais vous réveiller, mais vous dormiez si profondément que j'ai décidé de partir la première. Je ne peux m'empêcher d'être un peu inquiète.

Hier soir enfin, vous m'avez dit que vous alliez faire construire un autre immeuble de loisirs dans Funabashi à Chiba, que vous y habiteriez sans votre famille, et que nous pourrions vivre là-bas tous les deux. J'en ai pleuré de joie. Mais au milieu de ma joie, j'ai senti soudain l'angoisse me submerger. Car, pour le moment, vous êtes le mari de cette femme. Dès que vous serez réveillé, vous rentrerez directement chez vous. Et vous lui ferez sûrement ce que vous m'avez fait. Cette idée me rend folle. Je vous en prie, ne me « trompez » pas avec votre femme. Chaque fois que vous me retrouvez, vous me répétez que vous ne pouvez plus la supporter. Cela ne devrait donc pas être trop difficile de répondre à ma demande…

Excusez-moi d'avoir écrit une chose aussi indécente. Mais je ne pouvais pas me résoudre à partir d'ici sans en avoir parlé.

J'ai encore une chose à vous demander. Je n'ai pas envie que nous nous retrouvions dans la chambre d'un *love hotel*[1] comme celui-là, jusqu'à ce que la construction de l'immeuble de Funabashi soit terminée. Je voudrais dès que vous arrivez chez moi, vous servir le thé dans votre tasse, sortir votre kimono de bain et vos sous-vêtements de la commode, vous aider à les enfiler. Je n'aime pas que la literie soit imprégnée de la sueur des autres. Ne pourriez-vous pas me louer un appartement à Koiwa ou à Shibamata, même tout petit ? D'ailleurs, c'est jeter l'argent par les fenêtres. Ce mois-ci, nous sommes allés plus de vingt fois dans un *love hotel*. Cela a dû coûter au moins trois cent mille yens. Trois cent mille yens, c'est une somme énorme ! Vous devriez louer un studio, même s'il ne fait que quatre ou six

---

1. En raison de l'exiguïté des maisons japonaises et du manque d'insonorisation, les couples japonais ont l'habitude de se retrouver dans les *love hotels* qui fleurissent un peu partout dans les grandes villes et aux alentours.

tatamis et demi. Comme je sors presque tous les soirs, les filles du dortoir, dans le deuxième immeuble Funayama, me regardent d'un drôle d'air ces temps-ci...

J'ai écrit cette lettre en contemplant votre visage endormi et paisible. Je vous téléphonerai en début de soirée au bureau.

Sachiko

15

Le 10 juillet, Kanazawa

Chers parents,

Il fait chaud tous les jours maintenant. J'espère que vous allez bien. Hiroshi et moi sommes toujours en pleine forme, soyez donc rassurés.

Je suis en ce moment à Kanazawa, où mon patron m'a envoyée voir quelqu'un pour lui. Je pense que vous recevrez très prochainement des *nagaodono*, qui sont des gâteaux très réputés à Kanazawa, et j'espère que vous les apprécierez. C'est mon cadeau pour la fête du Bon, au mois d'août, que je vous envoie un peu en avance.

La chaleur ne fait que commencer. Je vous en prie, faites bien attention à votre santé.

Votre fille Sachiko

16

Monsieur le professeur Ueno,
La température de l'air est montée brusquement, et j'espère que vous pouvez supporter cette chaleur, monsieur le professeur. Il me tenait à cœur de vous écrire, mais j'ai été prise par mon travail quotidien, et je vous prie de m'excuser d'être restée longtemps sans vous donner de mes nouvelles.

Je vais très bien. Je suis actuellement à Kanazawa pour mon travail. Je me suis soudain souvenue que vous aimiez les sucreries, c'est pourquoi je vous ai fait envoyer des gâteaux qui sont une spécialité de la ville. J'espère que vous les apprécierez, ils me semblent très bons. On les appelle des *nagaodono*. Prenez bien soin de vous.

Sachiko Kashiwagi

17

Le 10 juillet

Ma chère Mitsu,
Je suis maintenant à Kanazawa. Je suis avec lui. Nous sommes partis de Tôkyô séparément. Moi hier matin, lui hier après-midi ; et nous nous sommes retrouvés le soir dans la station thermale de Suzu à Noto. Aujourd'hui, nous sommes descendus à Kanazawa. Lui n'est resté que deux heures avant de retourner à Tôkyô. Je ne voulais pas le laisser partir, mais sa femme le surveille, tu sais, et je suis restée

toute seule en ravalant mes larmes. Ici, il fait une chaleur insupportable.

Dans ta dernière lettre, tu me dis que tu vas te fiancer avec ton ami au printemps prochain, et que le mariage est prévu pour l'automne. Peut-être bien que je vais te devancer de peu. Car il a l'intention de faire construire à Funabashi avant le printemps. Et quand l'immeuble sera achevé, il y habitera sans sa famille, c'est moi qui vivrai avec lui. Bien sûr, à ce moment-là, il sera en plein conflit avec sa femme, et il ne m'épousera peut-être pas officielle-ment tout de suite, mais ma chère Mitsu, viens me voir à Funabashi quand je serai installée là-bas. Je te montrerai quelle jeune épouse je fais. Prépare-toi !

Je t'ai envoyé des gâteaux de Kanazawa. J'aime-rais que tu les goûtes avec ton amoureux.

Ton amie Sachi

18

Le 21 juillet

Hiroshi,

Excuse-moi de te causer du souci, même à toi. Le bruit court que nous sortons ensemble, mon patron et moi, et j'imagine que tu dois t'inquiéter. Mais la rumeur est vraie. J'aime mon patron plus que ma vie. Et puis... et puis c'est tout. Attends patiemment jusqu'à ce que je t'apporte une bonne nouvelle.

Ta sœur Sachiko

19

Hiroshi,

Peut-être ne vas-tu pas comprendre mon comportement, mais lis cette lettre jusqu'au bout. Je t'en supplie.

Ce matin, sa femme m'a soudain téléphoné.

Elle m'a dit : « J'ai à vous parler, venez chez moi avant dix heures du matin. »

Sa voix était le calme même, et elle m'a donné l'impression d'être sûre d'elle. J'étais un peu angoissée. Je me suis demandé si mon patron ne s'était pas réconcilié avec elle. Devant moi, il disait toujours « Je n'ai échangé que trois ou quatre mots avec ma femme ces deux derniers mois » ou bien « Quand je suis devant elle, j'ai soudain envie de lui serrer le cou » ou encore « Je veux la quitter le plus vite possible ». Et la dernière fois, il a murmuré : « Je la déteste, et elle, elle me hait. Pourquoi n'arrivons-nous pas à nous quitter, alors que les choses sont si claires ? Est-ce que je serais lâche ? »

Encore maintenant, je crois ce qu'il m'a dit. Malgré tout, ils sont mariés. Et ils ont des enfants. Il était possible qu'ils veuillent se réconcilier. Pourquoi sa femme avait-elle une voix aussi paisible ? Mon patron avait-il changé d'avis, commençait-il à hésiter, je voulais en avoir le cœur net, et tout de suite.

J'avais à peine raccroché que je sortais déjà de l'immeuble en courant. Je suis arrivée devant la porte de mon patron avant neuf heures. C'était tout de même trop tôt. Et j'allais faire demi-tour pour marcher pendant une heure sur la berge de la Nakagawa, quand j'ai entendu le rire de sa femme au premier étage. Ce rire, tu ne comprendras sans doute pas, mais, comment dirais-je, c'était un rire qui avait une connotation sexuelle. Aussitôt, mes jambes m'ont poussée vers l'intérieur de la maison. La femme de ménage rangeait le petit déjeuner dans la cuisine, son fils n'était pas là, car il suit les cours d'été, et sa fille jouait dans le jardin. J'ai donc pu monter à l'étage sans être vue de personne.

Mais ce que j'ai découvert là-haut à ce moment-là, c'était l'enfer. Sa femme qui s'apprêtait sans doute à sortir était en train de mettre un kimono d'été. Et mon patron l'aidait à nouer sa ceinture.

« Arrête, ne serre pas si fort. Tu vas faire mal au bébé dans mon ventre.

— Mais ça ne fait même pas deux mois. Ne t'inquiète pas.

— Arrête, arrête… Ah voilà, je comprends. Tu veux peut-être que je meurs étouffée avec le bébé dans le ventre.

— Mais pas du tout !

— Si je disparaissais, tu pourrais vivre avec cette petite jeune fille.

— Ne parle plus de ça. »

Et mon patron a enlacé sa femme par-derrière.

« Ne m'abandonne pas, je t'en supplie. Je n'aime que toi.

— Ce n'est pas vrai.

— Un homme peut coucher avec une femme même s'il ne l'aime pas. Il peut coucher avec plusieurs dizaines de femmes, à l'infini. Celle-là n'est qu'une fille parmi "plusieurs dizaines". Mais une épouse…

— Cela me serait égal si tu ne m'aimais pas. Simplement, je ne lâcherai jamais cette maison. Quitte à en mourir. Un point c'est tout.

« — Je sais bien. Moi non plus, je ne veux pas détruire cette famille. J'ai l'intention de le dire clairement à cette fille.

— Cette fille va bientôt arriver ici, tu serais vraiment capable de le lui dire ?

— Oui, bien sûr. A propos, tu ne veux pas…

— Mais ma ceinture est déjà attachée. »

Je n'ai pas le courage d'écrire la suite. Ce couple… ils se sont unis à moins de cinq mètres de moi.

Mon patron me répétait sans cesse : « Ces derniers temps, je n'ai pas posé un seul doigt sur le corps de ma femme. » Et pourtant, elle est enceinte. J'ai eu un choc terrible. Et ses paroles aussi m'ont choquée quand je l'ai entendu déclarer « Je n'aime que toi. Cette petite jeune fille n'est qu'une passade ». Mais ce qui m'a le plus bouleversée, ce sont leurs ébats, comme s'ils remplissaient leur devoir conjugal. Comme le jour où j'ai vu papa et maman. Et moi, j'avais risqué ma vie pour cette chose-là. Les couples mariés le font par devoir. Et moi qui avais donné ma vie, j'étais traitée avec bien plus de légèreté que celle qui le faisait par devoir. Voilà ce qui m'était insupportable.

Je suis sortie. La petite fille m'a suivie en me disant « Tu joues avec moi ! »…

Je n'ai même pas eu la force de lui dire « non ». J'ai seulement marché distraitement jusqu'à la Nakagawa. Et puis je me suis assise sur la berge.

La petite est venue me répéter : « Tu joues à quelque chose avec moi ».

« Rentre chez toi. Je dois réfléchir un peu. »

Et la petite a fredonné :

« Ouhouh ! Tu as des yeux qui font peur… Tu es le diable. Papa et maman m'avaient bien dit que tu étais le diable, mais c'est vrai. Je vais rentrer chez moi. »

Je ne me rappelle plus la suite. Quand j'ai repris mes esprits, la petite était inconsciente dans mes bras. Et mes pouces étaient enfoncés dans sa gorge…

Excuse-moi, Hiroshi. Je ne peux plus penser à ton avenir. Je dois suivre la petite le plus vite possible. Bon courage.

Ta sœur Sachiko

20

Le 1ᵉʳ septembre, maison d'arrêt de Tôkyô

Pour Mademoiselle Mitsuyo Mitsuda,
Merci pour ton colis. Je te suis reconnaissante. Mais ne cherche pas à voir Hiroshi. Laisse-le. Je t'en prie.

Sachiko Kashiwagi

II

LES VOIX D'À CÔTÉ

1

Cher Etsuo,

Je me demande combien de jours mettra ma lettre pour arriver jusqu'à la grande ville la plus proche du désert d'Australie occidentale où tu travailles. L'employé des postes m'a expliqué que, par avion, cela ne prendrait sûrement pas plus d'une semaine, et que c'était à peu près le temps nécessaire pour acheminer le courrier au fin fond du Hokkaidô. Mais pour moi, qui ne suis jamais allée à l'étranger, je n'ai aucune idée de ce que peut représenter une telle distance. Et la veille de ton départ, tu m'as dit : « Tu sais, la Terre est beaucoup plus petite que tu ne le crois. S'il t'arrivait quelque chose, il te suffirait d'appeler ma base. Je serai probablement parti dans le désert ou dans la montagne pour faire des recherches, mais je pourrais revenir à la base en une demi-journée. On dit que là-bas ils utilisent des avions à la place des voitures. Je serais donc sûrement le jour même dans la ville de Perth, et je pourrais embarquer le lendemain à Sydney dans un avion pour Haneda[1]. Quoi qu'il

---

1. Aéroport international de Tôkyô.

33

arrive, je serai de retour en trois jours. Tu n'as aucune inquiétude à te faire. »

Mais ne crois-tu pas que, dans ces circonstances, trois jours équivalent à trois ans en temps normal ? Si, en cas de problème, je devais attendre ton retour pendant trois jours, j'ai bien l'impression que cette attente me semblerait durer trois années.

C'est ma première lettre, et déjà je me lamente. Pardonne-moi. Dans trois mois, tu auras terminé tes recherches et tu seras rentré chez nous. On ne nous oblige pas à vivre loin l'un de l'autre pour le reste de nos jours, je vais donc cesser de m'attrister sur mon sort.

Cependant, tu as un patron qui est méchant. Il n'a pas hésité à séparer un jeune couple marié depuis un mois à peine. C'est comme s'il avait séparé des amoureux par la force. Oh, ce n'est pas bien. Je suis encore en train de me plaindre.

Dès le lendemain de ton départ en avion pour l'Australie, quelqu'un vient de s'installer dans la maison neuve voisine qui était en vente. L'acquéreur est une brave dame. Elle avait une boutique de traiteur devant la gare d'une ligne de chemin de fer privée, mais je ne me souviens plus exactement s'il s'agissait d'Edogawa ou de Katsushika. Quand elle est venue se présenter à la maison, elle m'a raconté qu'elle avait pu vendre un très bon prix à la société de chemin de fer la parcelle d'une soixantaine de mètres carrés qu'elle possédait devant la gare. Elle s'est soudain retrouvée avec plus de trois millions de yens sur son compte en banque. A partir de la semaine prochaine, elle ira travailler dans une école élémentaire du quartier où elle s'occupera de préparer et de distribuer le déjeuner aux élèves[1].

---

1. Au Japon, les élèves mangent dans la classe sur leur table un repas qui leur est distribué collectivement.

Je lui ai dit avec un soupir d'envie : « Vous en avez de la chance, madame. Vous avez un livret d'épargne, une maison, un travail… Vous pourrez mener une vie tranquille jusqu'à la fin de vos jours. Alors que pour nous c'est encore difficile. Nous n'avons pas d'économies, et nous avons encore sept ans de crédit à rembourser pour la maison. »

A ce moment-là, elle a eu soudain un air pensif, avant de me répondre : « J'ai une fille, vous savez, mais elle est partie il y a cinq ans et elle ne m'a jamais donné de ses nouvelles. Je me demande bien où elle est et ce qu'elle fait en ce moment. »

Après la mort de son mari, qui remonte à sept ans, cette dame a vécu seule avec sa fille. Puis, au bout de deux ans, elle s'est fait un ami avec qui elle allait prendre le thé. C'était le patron du magasin de jouets à la gare, et il se montrait gentil avec elle. Un jour, ils sont allés ensemble à Narita-san pour la journée. Et quand ils sont revenus, tard dans la nuit, sa fille avait disparu. En laissant juste un mot, sur lequel elle avait écrit : « Imbécile de mère ! Tu me dégoûtes. Ne cherche pas à me retrouver. »

La mère a couru dans tout le quartier pour essayer de récolter des informations, et elle a appris que quelqu'un avait dit à sa fille pour plaisanter : « Alors, il paraît que ta mère est partie s'amuser dans une station thermale[1] avec le marchand de jouets ! »

J'imagine que, pour une lycéenne de dix-sept ans, cette nouvelle a dû être un choc. Sa mère était allée là-bas avec un homme qui n'était pas son père. La dame a ensuite tout tenté pour retrouver trace de sa fille. Beaucoup de rumeurs circulaient sur elle : on l'avait vue à Ueno dans un salon de thé en train

---

1. Destination fréquente pour les couples d'amoureux.

de servir le café, elle avait été aperçue dans un cabaret de Gôto-chô assise sur les genoux d'un client, elle savonnait le dos d'un homme dans un bain turc de la ville de Chiba. A chaque fois, la mère fermait sa boutique et allait vérifier. Mais ce n'était jamais sa fille.

Et la dame a ajouté : « J'espère que ma fille a trouvé un bon mari et qu'elle vit quelque part comme une femme convenable, mais je n'y crois pas. Si elle s'était mariée, elle m'aurait au moins prévenue. Elle doit mener une vie de débauchée je ne sais où. J'ai maintenant cessé de la chercher. »

A la fin, elle s'est frottée les yeux avec son tablier.

C'est ainsi que j'ai trouvé quelqu'un à qui parler. Sois donc rassuré. Je crois que je pourrai garder la maison sans me sentir trop seule pendant les trois mois de ton absence. Il paraît que le mois de mai correspond à la fin de l'automne là-bas. Fais attention de ne pas attraper un rhume. Mais il faut tout même que je me décide à poser mon stylo, sinon je ne m'arrêterai jamais. C'est la première fois de ma vie que j'écris une aussi longue lettre. J'attends de tes nouvelles. Tiens, la voisine s'est mise à chanter dans sa cuisine *L'Auberge au bord du lac*. Comme tu le vois, c'est quelqu'un de gai. Moi, quand tu n'es pas là, je n'ai même pas envie de chanter. Prends bien soin de toi.

Hiroko

2

Le 7 mai

Cher Etsuo,

Voilà maintenant une semaine que tu es parti. Depuis le lendemain de ton départ, tous les matins, je garde mon attention fixée sur la boîte à lettres à l'extérieur, quelles que soient mes occupations. Chaque fois que quelqu'un passe devant la maison, j'ai le cœur qui bat très fort à l'idée qu'il s'agit peut-être du facteur. Hier, vers dix heures et demi du matin, j'ai senti quelqu'un s'arrêter devant la porte, et juste après j'ai entendu un bruit sec dans la boîte à lettres. Je me suis précipitée au dehors en me disant que c'était le facteur, qu'il m'apportait une lettre de toi ! Mais j'ai trouvé une brochure qui s'intitulait : « Que l'humanité soit heureuse[1] ». C'est celle d'une nouvelle secte religieuse. J'ai d'abord été déçue, et ensuite très en colère. Je me suis promis de ne jamais faire partie de cette secte. Et hier, je me suis sentie malheureuse pendant toute la journée.

Mais aujourd'hui c'est le grand bonheur. Parce que, aujourd'hui, j'ai reçu ta carte postale. La ville de Perth sur la carte m'a l'air très jolie, avec toutes ses rangées d'immeubles de quatre étages qui semblent patinés par le temps. Ils ont une histoire, ce ne sont pas des bâtiments modernes et voyants… J'aimerais tant marcher dans cette ville main dans la main avec toi.

Je peux te réciter par cœur le texte que tu m'as écrit en toutes petites lettres au verso de la carte, car

---

1. Sans doute l'auteur fait-il allusion au slogan d'une secte japonaise qui dit « Que l'humanité vive en paix », et que certains habitants collent discrètement sur leur porte.

je l'ai lu plus d'une vingtaine de fois. « Le 1er mai. Je suis arrivé sans encombre aujourd'hui dans la ville de Perth sur la côte occidentale australienne. Ne t'inquiète pas, je vais bien. Sur une carte le Japon paraît beaucoup plus haut, mais quand je pense qu'on peut aller aussi loin en douze heures, au risque de te lasser avec mon leitmotiv : "la Terre est si petite". Demain, nous partons dans les montagnes Hamersley pour y faire des recherches. Tu dois trouver un peu curieux qu'un employé d'une société commerciale parte faire des recherches dans les montagnes, mais mon travail consiste à trouver, en collaboration avec des spécialistes, un lieu où enterrer les résidus de combustion provenant des centrales nucléaires du Japon. Notre pays projette d'acheter dans l'avenir de l'uranium à l'Australie. Mais comme le Japon manque de superficie, il n'y pas de place pour les déchets nucléaires. C'est pourquoi on a l'intention de rapporter les résidus de combustion en Australie et de les enterrer quelque part dans la montagne. Les étudiants et les ouvriers d'ici crient contre ce projet en disant que "l'Australie n'est pas la poubelle du Japon". Et moi-même, je trouve qu'ils ont raison de se révolter. Mais je ne peux rien y faire, c'est mon travail. Pour la sauvegarde de la planète, je ne devrais pas accepter ce genre de travail, mais, tu comprends, nous avons des emprunts immobiliers à rembourser… Prends bien soin de toi. Etsuo. »

J'ai bien l'impression que ton travail actuel te déplaît, mais fais tout ce que tu peux pour le faire sérieusement, je t'en prie. Termine aussi rapidement que possible et reviens vite même si tu ne gagnes qu'une journée. La nuit, quand je suis seule, je me sens isolée et, en plus, j'ai peur. Parfois je crois devenir folle. Avant ton départ, tu m'as dit que si je me sentais triste, je devais aller vivre chez tes parents. Mais comment veux-tu que je fasse une chose pareille ? Ta famille s'est opposée jusqu'à la dernière minute à notre mariage. Je ne peux pas m'empêcher d'y penser. Et moi qui n'ai plus mes parents… Finalement, je n'ai pas d'autre solution que de rester habiter seule.

Au fait, il est arrivé quelque chose de bien à la voisine. Sa fille est de retour ! Et avec son mari ! Quand je suis dans la cuisine, j'entends ce qui se dit dans la maison d'à côté. La fille s'est rendue à l'ancien domicile de sa mère, et les voisins lui ont donné sa nouvelle adresse. Voilà comment elle est arrivée jusqu'ici. Et même si je l'ai seulement aperçue de loin, j'ai vu qu'elle était très belle. Elle a un peu la beauté provocante d'une hôtesse de bar. Toutefois, ce n'est qu'une interprétation personnelle… Son mari a les cheveux en brosse, le teint mat, il a l'air sportif.

Depuis que la maison d'à côté est soudain devenue animée, la nôtre me paraît encore plus triste. Reviens vite, je t'en prie.

Hiroko

3

Le 9 mai

Cher Etsuo,

Je t'écris encore au sujet de la maison d'à côté, mais il se passe quelque chose de très bizarre. Pendant la journée, la fille s'occupe de la cuisine et des courses, son mari arrache les mauvaises herbes dans le jardin, et la dame travaille à l'école élémentaire. Quand le soir arrive, la fille et son mari sortent pour aller la chercher, et à leur retour ils se mettent à table. Tout cela semble très harmonieux. Mais dès que la nuit[1] tombe, ils ferment les volets. Et ensuite, ils disent des mots terribles. Comme tu le sais, notre cuisine et leur salon ne sont qu'à deux mètres l'un de l'autre. Aussi, quand ils parlent fort, je les entends.

Hier soir, ils parlaient très fort. Et voilà ce que j'ai entendu :

« Passe-moi ton livret d'épargne.

— Qu'est-ce que tu veux en faire ?

— Ça ne te regarde pas.

— Tu ne peux pas dire ça. C'est mon argent !

— Qu'est-ce que tu racontes ? C'est l'argent de papa. Le terrain de la gare était à lui.

— Il est mort. Et comme j'étais sa femme, c'est normal que j'en hérite.

— Quoi ! Tu oses dire ça, alors que tu as pris un amant aussitôt après sa mort !

— Cet homme n'était pas mon amant. Nous sommes tout simplement allés prier au temple de Narita-san. Si tu ne me précises pas ce que tu veux en faire, je ne te donnerais pas un sou.

— J'ai l'intention de partir en voyage à l'étranger avec mon mari. Je ne te demande pas de me donner les quatre millions de yens. Je me contenterai de la moitié.

— Tu plaisantes ! Si tu me les empruntais provisoirement pour investir dans un commerce, ce serait différent, mais je ne peux pas te donner de l'argent pour que tu ailles t'amuser.

— Radine !

---

1. Il fait nuit très tôt au Japon, même en été.

— C'est toi qui a du toupet. »

Je n'ai pas entendu la voix du mari. Il devait être dans une autre pièce en train de boire de la bière devant la télévision. Et même si, normalement, je ne devrais pas me sentir concernée, je n'aime pas entendre les voisins se disputer. J'en ai le cœur qui bat.

Je me demande si je ne vais pas compter demain matin le nombre de bouteilles qui seront dehors. Les voisins ont l'habitude d'aligner leurs bouteilles vides devant la porte de la cuisine. Le mari de la fille va certainement en boire quatre ou cinq de suite ce soir. Mais je pourrai le confirmer quand j'aurai fait le compte. Sinon, je n'ai rien de spécial à te signaler. Prends bien soin de toi.

Hiroko

P.-S. : Mon hypothèse s'est vérifiée. Il y avait bien cinq bouteilles vides devant la porte de leur cuisine. C'est la preuve que pendant que la fille se disputait avec sa mère cette nuit, son mari buvait de la bière dans une autre pièce.

4

Le 12 mai

Cher Etsuo,

Il se passe quelque chose de très grave chez les voisins. Hier et avant-hier, je n'ai pas vu la dame. Ce matin avant midi, j'étais en train d'étendre le linge dans le jardin quand la fille est sortie de la maison, aussi je lui ai demandé : « Je n'ai pas vu votre mère ces jours-ci. Qu'a-t-elle donc ? »

Elle m'a répondu : « Elle est fatiguée parce qu'elle vient de débuter dans son travail à l'école élémentaire. Alors, nous lui avons dit de se reposer deux, trois jours à la maison. »

Mais c'est faux, faux, archifaux. Car tout à l'heure, quand la nuit est tombée, je les ai entendus à côté qui disaient :

« Maman, si tu continues à ne pas vouloir me donner le fric, moi aussi je vais faire à mon idée.

— Mais pour… pourquoi tu as pris cette corde ?

— Tu resteras attachée au pilier de l'alcôve jusqu'à ce que tu te décides à sortir ton fric. »

A ce moment-là, j'ai entendu un bruit affreux. Et juste après, les sanglots de la voisine…

A présent, elle s'est enfin arrêtée de pleurer, et j'ai pu commencé à t'écrire une lettre, mais tandis que je t'écris, la peur me gagne, et je tremble de tout mon corps. Qu'est-ce qui m'arrivera si la fille et son mari s'aperçoivent que je les ai entendus torturer et menacer la voisine ? Ils vont m'attacher au pilier comme la dame… c'est horrible. Reviens le plus vite possible, mon chéri.

Hiroko

5

Le 13 mai au matin

Cher Etsuo,

J'ai fini par rester toute la nuit dernière assise devant la table de la cuisine. Hier soir, je faisais du rangement dans la cuisine quand j'ai entendu la dame d'à côté pousser un cri strident chez elle, et je me suis retrouvée paralysée par la peur. J'avais l'impression que si je bougeais pour sortir, la fille et son mari allaient me courir après. J'ai donc passé la nuit dans la cuisine, le dos au mur.

Et sais-tu pourquoi la dame a poussé cet horrible cri ? A cause d'une aiguille à coudre et d'une cigarette allumée ! La fille piquait avec la pointe de l'aiguille la main de la dame qui était attachée au pilier, et son mari écrasait le bout de la cigarette allumée sur elle. Ils l'ont torturée pendant toute la nuit. C'était vraiment l'enfer.

Elle criait à peu près toutes les demi-heures : « Ça fait mal ! Arrêtez de me piquer »…« Ça brûle ! Arrêtez avec cette cigarette ».

Mais comme elle s'affaiblissait, sa voix s'éteignait peu à peu. Et quand on ne la torturait pas, j'entendais la fille dire d'une voix étouffée : « Si tu veux qu'on arrête, donne-nous ton livret d'épargne. »

Je me bouchais les oreilles mais rien à faire. Si je n'entendais plus la voix de la fille, en revanche j'entendais toujours les faibles cris de la dame, pareils à des sanglots, puisqu'ils pénétraient dans mon cerveau à travers mes mains qui couvraient mes oreilles.

Que dois-je faire, mon chéri ? Il y a bien un poste de police sur la route qui mène à la station de bus quand on sort de ce quartier résidentiel, crois-tu que je dois prévenir les policiers de ce qui se passe à côté de chez nous ? Ou bien, vaut-il mieux que je fasse semblant de ne pas avoir entendu les cris de la dame ? Si tu étais à mes côtés, je ne me sentirais pas aussi angoissée, et tu pourrais me dire quoi faire dans un cas pareil. Malheureusement, tu n'es pas là. Et je ne sais rien faire d'autre que trembler en me bouchant les oreilles. Reviens ! Je t'en prie.

Hiroko

43

6

Le 14 mai au matin

Cher Etsuo,

Hier soir, je réchauffais la soupe au miso[1] quand quelqu'un a frappé à la porte de la cuisine. J'ai ouvert, et la dame s'est laissée tomber dans la pièce. Elle a glissé son livret d'épargne dans la poche de mon tablier en disant d'une voix essoufflée : « Pourriez-vous le garder quelque temps, s'il vous plaît. Je vous en prie, ne dites surtout pas à ma fille et à son mari que je vous l'ai confié. C'est un secret. »

Elle était toute échevelée, ses bras étaient couverts de bleus. Elle avait le dos des mains marqué par des brûlures. Et le bout de ses doigts tout gonflés ressemblait à des *tarako*[2] .

J'ai alors pris un ton naturel comme si je parlais de la pluie et du beau temps : « Mais l'épargne placée sur un compte courant n'est pas rentable. » Je pensais qu'elle se sentirait plus à l'aise si je lui répondais ainsi. « Ce serait beaucoup plus intéressant pour vous de le placer sur un compte épargne. »

« J'irai bientôt à la poste pour m'en occuper, a-t-elle répondu avant de poursuivre : Ma fille et mon gendre ne vont pas tarder à rentrer. Ce serait une catastrophe s'ils me voyaient ici. Bon, je vous le confie, madame. Ah, et puis, je vous demanderais de ne pas ébruiter partout cette affaire. Les gens n'ont pas à savoir qu'ils me torturent. C'est de ma faute si elle est comme ça puisque c'est moi qui l'ai élevée, et c'est moi qui doit être punie. Si les policiers

---

1. Pâte de soja fermentée.
2. Œufs de morue rouges et salés.

l'apprenaient, ma fille et son mari seraient envoyés en prison pour séquestration, coups et blessures. Eh bien, cela me ferait tout de même pitié de la savoir en prison. »

J'ai bafouillé : « Ils vont… ils vont finir par vous tuer, madame ! »

Pourtant, elle m'a dit : « Ils finiront sûrement par se réveiller un jour. Comment ma propre fille pourrait-elle me tuer ? » Puis elle est repartie en titubant chez elle. C'est pourquoi je me retrouve avec le livret d'épargne qu'elle m'a confié, mais ne me fais pas de reproches, s'il te plaît. Fais bien attention, toi.

Hiroko

7

Le 14 mai dans l'après-midi

Cher Etsuo,

On dirait qu'ils se sont aperçus que je gardais en cachette le livret d'épargne de la dame. Le mari n'arrête pas de regarder discrètement en direction de notre maison, tout en lisant une revue allongé dans le jardin. Il est en train de me surveiller, j'en suis certaine. Quand j'aurai fini ma lettre, je veux sortir pour aller la mettre dans la boîte à la poste, mais il va me suivre, c'est sûr. J'ai peur. Peut-être que cette nuit, il va forcer la porte pour entrer dans la maison.

Qu'est-ce que je dois faire, mon chéri ? Dis-le-moi vite. Je t'en supplie.

Hiroko

8

Monsieur Etsuo Mito,

Je me hâte de vous prévenir.

Je suis psychiatre à l'hôpital Sekiba situé dans le quartier d'Ichikawa. Votre femme a été internée dans notre établissement hier soir. Elle serrait sur sa poitrine le *kairanban*[1].

Elle ne voulait pas le lâcher et prétendait que c'était le livret d'épargne de sa voisine, que celle-ci le lui avait confié, et qu'elle ne pouvait le donner à personne.

C'est Mme Tsuneko Ota, votre voisine, qui nous l'a amenée (mais vous ne connaissez sans doute pas cette personne, car elle s'est installée à côté de chez vous après votre départ en Australie). Elle nous a dit que naturellement, elle ne lui avait jamais confié son livret d'épargne. Elle la trouvait un peu bizarre depuis quelques jours. Et soudain, elle a pensé que c'était en fait depuis le soir où sa fille et son gendre étaient rentrés chez elle. Votre femme ne répondait plus quand on lui adressait la parole, elle ouvrait la fenêtre de la cuisine à la moindre occasion, et elle semblait les observer.

Votre femme nous a expliqué : « La fille et son mari convoitent l'épargne de Mme Ota, ils veulent son livret, et ils la torturent parce qu'elle refuse de leur donner en lui piquant le bout des doigts avec une aiguille ou en lui écrasant une cigarette allumée sur le dos des mains. » Mais, après avoir interrogé Mme Ota à ce sujet, il me semble bien que ces choses-là n'ont

---

1. Document que l'on fait circuler dans chaque quartier et qui permet aux habitants de prendre connaissance d'un avis.

jamais eu lieu. Elle dit au contraire très bien s'entendre avec sa fille et son gendre, et ils sont tout le temps en train de rire ensemble. Elle est si heureuse de leur retour que, soulagée, elle peut enfin se détendre. Depuis quelques jours, elle n'allait pas à son travail pour rester se reposer chez elle. Or, votre femme a cru que « la dame était enfermée par sa fille et son gendre ». Naturellement, c'est une pure invention de sa part. Je suis désolé.

J'ai su facilement où vous étiez. Car votre femme ne cessait de répéter avec insistance : « S'il vous plaît, dites-lui de rentrer vite, il est à Perth sur la côte occidentale australienne, etc. » Pour l'instant, elle ne répond pas du tout à nos autres questions.

D'après ce que nous a rapporté Mme Ota, peu après votre mariage, vous auriez reçu l'ordre de partir au loin pour une longue mission. Et votre voisine entendait toujours votre femme se plaindre : « Vous ne trouvez pas qu'ils sont inhumains dans sa société ? ». J'en ai conclu que l'une des causes de son état devait être votre brusque départ à l'étranger. Mais j'aimerais en apprendre beaucoup plus sur votre femme. Sinon, il me sera difficile de savoir comment la soigner. Pourriez-vous me dire tout ce qui vous vient à l'esprit à son sujet ?

Veuillez également me donner l'adresse de vos parents et de sa famille pour les prévenir que votre femme est malade. Ce n'est pas une maladie bénigne, mais ce n'est pas trop grave non plus. Il est inutile de vous inquiéter outre mesure. Toutefois, si cela vous était possible, j'aimerais que vous reveniez quelque temps au Japon. Ce serait la meilleure thérapie pour elle. Dans l'attente de votre réponse, nous prenons soin de votre femme du mieux que nous le pouvons.

Densaburô Hiratsuka

9

Le 24 mai

Monsieur Densaburô Hiratsuka,
Je vous remercie de votre lettre.
Et vous vous êtes si bien occupé de ma femme que je ne sais comment vous exprimer toute ma reconnaissance. Je souhaiterais me rendre immédiatement à l'hôpital pour vous remercier de vive voix dès ma descente d'avion à l'aéroport de Haneda, mais je vous prie de nous excuser pour toute la peine que vous vous êtes donné.
Je vous envoie l'ensemble des lettres que ma femme m'a écrites afin de vous aider dans votre diagnostic, et, à la lecture, vous vous rendrez compte qu'à partir de la troisième le ton change. Elle ne m'écrit plus rien sur elle, ne me pose plus de questions, et ne me parle que de la maison voisine. Comme l'a dit Mme Ota, il semble qu'au retour de sa fille et de son mari, il s'est passé quelque chose de bizarre dans l'esprit de ma femme.
Dès que j'ai reçu votre lettre, j'ai téléphoné au siège de ma société à Tôkyô pour leur demander de me laisser rentrer momentanément au Japon. Mais ma demande ne sera probablement pas acceptée – je pense qu'on ne me dirait même pas « oui » dans cette société si ma femme venait à mourir – mais un membre du service médical se rendra sûrement à l'hôpital, et comme ils préviendront sans doute mes parents, ma mère devrait venir vous voir. J'imagine que vous les interrogerez sur mon travail ici et que vous essaierez de savoir auprès d'eux qui nous sommes, ma femme et moi. De mon côté, je vous écris une ou deux choses à son sujet qui me viennent spontanément.

48

Ma femme est une fille naturelle. Sa mère – elle est morte un an avant notre rencontre, et je ne la connais qu'à travers des photos –, a utilisé l'argent que lui avait donné le père de son enfant au moment de la quitter, pour ouvrir un petit restaurant. La mère et la fille vivaient à l'étage dans des conditions apparemment modestes. Sa mère prenait des amants les uns après les autres, et c'est ce qui explique sans doute que ma femme n'ait jamais tellement aimé me parler de cette époque. Mais j'ai le sentiment que la clé pour comprendre ce qui lui arrive se trouve cachée de ce côté. Ma femme m'a écrit que Mme Ota avait été l'objet d'une rumeur selon laquelle elle entretenait des relations adultères avec le marchand de jouets. Sa mère subissait aussi constamment ce genre de rumeurs. Quand ma femme parlait avec Mme Ota, peut-être était-ce pour elle comme si elle parlait avec sa propre mère. Je ne suis pas spécialiste, mais c'est ainsi que je vois les choses.

Après la mort de sa mère, ma femme a déménagé, et elle est venue travailler à la cantine de notre société. Elle était serveuse. Dès que je l'ai vue, je suis tombé amoureux d'elle, et nous sommes sortis ensemble pendant un an avant de nous marier, à la fin du mois de mars dernier. Mes parents s'opposaient absolument à notre union, par conséquent nous n'avons pas célébré ce qu'on appelle une cérémonie de mariage. Mais nous avons évidemment fait toutes les démarches nécessaires pour l'enregistrement de son nouveau domicile légal et rempli comme il convient les papiers administratifs.

Voilà pourquoi ma longue mission à l'étranger qui a été décidée si brutalement a dû secouer terriblement ma femme. Je vous ai écrit ci-dessus tout ce qui me venait à l'esprit à son sujet. Je m'en remets à vous. Et je vous remercie par avance des soins que vous pourrez lui apporter.

Etsuo Mito

10

Monsieur Etsuo Mito,
Sachez que votre lettre m'a été très utile. Dès le début, je soupçonnais que votre femme était atteinte d'une sorte de phobie. Et comme les adultes guérissent très souvent de leurs phobies lorsqu'ils se souviennent d'événements forts et terribles subis dans leur enfance, je me suis intéressé au passage où vous écriviez « Sa mère a utilisé l'argent… pour ouvrir un petit restaurant. La mère et la fille vivaient à l'étage dans des conditions apparemment modestes. La mère prenait des amants les uns après les autres, et c'est ce qui explique sans doute que ma femme n'ait jamais tellement aimé me parler de cette époque ». Je l'ai donc interrogée de plusieurs façons différentes sur cette période de sa vie. Si je fais une synthèse de ce qu'elle m'a raconté par bribes, cela donne l'histoire suivante :
« Trois ou quatre nuits par mois, un client restait chez nous au premier étage. Ma mère me demandait à chaque fois d'aller dormir dans le placard à futons[1], et je lui obéissais. Mais ces nuits-là, précisément, je n'arrivais pas à dormir, car je ne pouvais m'empêcher

---

1. Oshiire : placard à literie et à vêtements encastré dans le mur et fermé par deux portes coulissantes en papier.

de tendre l'oreille vers les bruits de l'autre côté de la cloison. Et d'une manière systématique, j'entendais très vite ma mère pousser des cris. A chaque fois, j'étais paralysée par la peur, et mon corps figé devenait dur comme de la pierre. Maintenant, je comprends ce que signifiaient ces cris, mais à l'époque je croyais que le client torturait ma mère. Quand elle avait cessé de crier, elle se mettait invariablement à rire en poussant des petits cris étouffés. Je me sentais soudain trahie par elle, j'étais envahie par une tristesse indescriptible avec l'impression d'être seule au monde. »

Comme vous me l'avez écrit, l'apparition dans sa vie de Mme Ota lui a rappelé sa mère. Et comme c'était le cas dans son enfance, votre femme a commencé à écouter les voix à l'extérieur du placard, à savoir, à l'époque présente, les voix lui parvenant de la maison voisine. En même temps, elle cherchait à punir sa mère de la vie qu'elle lui avait fait mener autrefois, en se donnant l'illusion que Mme Ota était torturée par sa fille et son gendre et qu'elle souffrait.

Cette histoire que m'a raconté votre femme par bribes doit correspondre à la réalité. Et puisqu'elle a parlé de la terrible expérience qu'elle a connue dans son enfance et qu'elle avait jusqu'à maintenant gardée enfouie en elle, son état ne pourra sans doute pas s'aggraver, mais j'ai pensé à une autre hypothèse qui va vous sembler bizarre.

Votre femme ne serait-elle pas atteinte d'une forme aiguë de claustrophobie ?

Vous aviez l'habitude de lui répéter comme en leitmotiv : « La Terre est si petite ». Et vous aviez également un jugement critique sur votre travail actuel qui consiste à chercher un lieu pour se débarrasser des déchets de combustion de l'uranium. Votre femme a peut-être fait un amalgame en se disant « La Terre qui est déjà petite le deviendra encore plus si elle est couverte de déchets. Je déteste les endroits exigus, il ne faut pas que la Terre devienne comme ce *placard*. »

Ou peut-être y croit-elle fermement, parce que c'est l'opinion de son mari qu'elle aime. La claustrophobie comme l'acrophobie sont de même nature, il s'agit d'une obsession qui prend naissance en nous quand on craint de se retrouver seul, isolé des personnes qui vous soutenaient dans un endroit familier. Et à cause de votre leitmotiv et de votre attitude vis-à-vis de votre travail, effrayée à l'idée que cette Terre, si familière aux hommes, ne se transforme en quelque chose d'autre, votre femme peut l'avoir associée à ce placard.

Si mon interprétation s'avérait exacte, votre femme serait alors une phobique de l'avenir. Et si tel était le cas, elle guérirait difficilement…

Quoi qu'il en soit, je vous prie de revenir dès que possible.

Densaburô Hiratsuka

III

LES MAINS ROUGES

DÉCLARATION DE NAISSANCE

NOUVEAU-NÉ :

Nom ....MAESAWA Ryôko
Filiation paternelle
et maternelle ....Enfant illégitime
    (enfant naturelle)
Date de naissance ....1er avril an 20, ère
    Shôwa[1]
Lieu de naissance ....Maternité Funayama,
    6-1 Kitakata-chô[2], Ichikawa-shi, Chiba-ken
Adresse de domicile enregistrée à la mairie
    ....Pièce 3, Pavillon
    Vert, 6-8 Kitakata-chô, Ichikawa-shi, Chiba-ken
Nom du chef de famille ....MAESAWA Fumi
Filiation avec le chef de famille
    ....Fille aînée

PÈRE ET MÈRE DU NOUVEAU-NÉ :

Nom du père ....Inconnu
Date de naissance du père ....Inconnu
Nom de la mère ....MAESAWA Fumi
Date de naissance de la mère ....16 septembre an 8,
    ère Taishô[3]

SUR LA DÉCLARATION DE :

Nom ....FUNAYAMA Kihachi
Date de naissance ....29 mai an 35, ère
    Meiji[4]
Adresse ....6-1 Kitakata-chô,
    Ichikawa-shi, Chiba-ken.
Domicile légal[5] ....Identique
Lien avec le nouveau-né ....Médecin accoucheur

*Déclaré le 1er avril an 20, ère Shôwa, à Monsieur le Maire
de la ville d'Ichikawa dans la préfecture de Chiba[6].*

---

1. 1946. -
2. Le terme *–chô* indique le
quartier, *–shi* la ville et *–ken* la
préfecture.
3. 1920.
4. 1903
5. Enregistré sur le registre
d'état civil.
6. Au nord de Tôkyô.

DÉCLARATION DE DÉCÈS

DÉFUNT(E) :

Nom du défunt(e) ....MAESAWA Fumi

Date de naissance ....16 septembre an 8, ère Taishô

Date du décès ....1er avril an 20, ère Shôwa

Lieu du décès ....Maternité Funayama, 6-8 Kitakata-chô, Ichikawa-shi, Chiba-ken

Adresse ....Pièce 3, Pavillon Vert, 6-8 Kitakata-chô, Ichikawa-shi, Chiba-ken

Domicile légal ....6771 Iwai, Ichino-miya-chô, Chôsei-gun[1], Chiba-ken

Conjoint ....Sans

Profession ....Couturière à domicile

SUR LA DÉCLARATION DE :

Nom ....FUNAYAMA Kihachi

Date de naissance ....29 mai an 35, ère Meiji

Adresse ....6-1 Kitakata-chô, Ichikawa-shi, Chiba-ken

Domicile légal ....Identique

Profession ....Gynécologue

Déclaré le 1er avril an 20, ère Shôwa, à Monsieur le Maire de la ville d'Ichikawa dans la préfecture de Chiba.

ACTE DE DÉCÈS

NOM DU DÉFUNT(E) ....MAESAWA Fumi

Date de naissance ....16 septembre an 8, ère Taishô

Date et heure du décès ....1er avril an 20, ère Shôwa, à 7 h 03

Lieu du décès ....6-1 Kitakata-chô, Ichikawa-shi, Chiba-ken

Etablissement ....Hôpital (maternité Funayama)

Type du décès ....Maladie

Cause du décès ....Hémorragie après expulsion du placenta

Décès constaté le 1er avril an 20, ère Shôwa, par le Docteur Funayama Kihachi, 6-1 Kitakata-chô, Ichikawa-shi, Chiba-ken.

(Sceau du médecin)

---

1. *–gun* indique le district.

MOT D'ABSENCE SCOLAIRE
(Pour MAESAWA Ryôko, classe 1, sixième année[4])

A Madame la Directrice de l'école élémentaire
publique de Higashi-Sendai de la ville de Sendai

Je tenais tout d'abord à vous remercier de prendre
toujours grand soin des enfants de la Maison des
anges. Mais je me permets de vous écrire à propos de
Ryôko Maesawa dont les gerçures aux mains et aux
pieds se sont tellement aggravées ce matin, qu'elle ne
pouvait pas enfiler ses chaussures en toile. Elle voulait absolument aller à l'école, mais il nous était
impossible de laisser sortir une enfant qui souffre

---

1. *–ji* indique un temple.
2. Dans le Tôhoku.
3. Ce nom évoque un orphelinat.
4. Soit onze, douze ans.

55

pour marcher. Nous avons fini par la convaincre de rester tranquillement à la Maison toute la journée pour se reposer. Mais elle pleure et reste très agitée car, à cause de son absence aujourd'hui, elle ne pourra pas obtenir le prix d'assiduité aux cours cette année. Nous allons lui faire tremper les mains et les pieds gercés dans de l'eau chaude à laquelle nous ajouterons du radis blanc râpé. C'est l'une de nos éducatrices originaire de Yamagata[1] qui nous a parlé de ce remède employé dans sa région pour soigner les crevasses… Je vous remercie de votre compréhension et vous prie d'agréer, Madame, l'expression de mes meilleurs sentiments.

Le 14 décembre an 31[2], ère Shôwa,
Maria-Elisabeth,
Directrice de la Maison des anges de Bethléem

DÉCLARATION DE BAPTÊME

Nom de la baptisée.................**MAESAWA Ryôko**
Date de naissance......................1er avril an 20, ère Shôwa
Adresse...........................656 Anyô-ji-shita,
  Odawara, Ichihara-chô, Sendai-shi
Profession ....Elève en 3e année[3] au
  collège public de la ville de Sendai
Nom de baptême....................Maria-Magdalena
Date du baptême.......................15 août an 34[4], ère Shôwa

Certifié conforme
le 15 août an 34, ère Shôwa
Père Jules Viette
Monastère des dominicains de la ville de Sendai

---

1. Nord de l'île de Honshû, la plus grande de l'archipel nippon.
2. 1957.
3. Soit quatorze ans.
4. 1960.

MOT D'ABSENCE AU VOYAGE SCOLAIRE
(Pour MAESAWA Ryôko, n° 43, classe C, 3e année[1])

A Madame le Professeur de la classe C
de la troisième année du deuxième lycée public des filles
de la commune de Sendai dans la préfecture de Miyagi

Je voulais vous faire part de ma reconnaissance, à vous et à votre classe, car notre pensionnaire Ryôko Maesawa m'a appris que toutes les élèves s'étaient cotisées afin de réunir la somme nécessaire lui permettant de participer au voyage scolaire à Kyôto. Quand elle m'a parlé de votre générosité, votre geste m'a fait tellement plaisir que j'en ai eu les larmes aux yeux. Mais elle-même dit qu'elle ne peut pas, vis-à-vis de nos autres pensionnaires, être la seule à partir en voyage.

Vous devez savoir qu'une fois leur brevet en poche, les pensionnaires de la Maison des anges de Bethléem se préparent généralement à devenir indépendants en cherchant du travail, par l'intermédiaire de relations des fidèles de l'Eglise catholique, et dès qu'ils en ont trouvé un, ils quittent la Maison. Mais Ryôko Maesawa souhaite devenir religieuse de la congrégation de Bethléem, et c'est pourquoi elle reste chez nous tout en poursuivant ses études au lycée. Mais cela semble la gêner de bénéficier d'une mesure exceptionnelle. Malgré toute la gratitude qu'elle éprouve pour la sympathie que lui témoigne sa classe, elle reste convaincue qu'elle ne doit pas partir en voyage. Je lui ai conseillé d'accepter avec joie et naturel le geste de

---

1. Soit dix-sept ans.

57

bonne volonté de ses camarades, mais elle s'obstine à ne pas vouloir changer d'avis.

Je suis vraiment désolée, mais vous comprendrez la raison pour laquelle je me vois dans l'obligation de vous rendre cet argent offert avec tant de gentillesse. Et je vous demanderai d'avoir l'amabilité de bien vouloir l'expliquer à vos élèves.

Le 18 septembre an 37[2], ère Shôwa
Maria-Elisabeth,
Directrice de la Maison des anges de Bethléem

DÉCLARATION DE CHANGEMENT DE DOMICILE LÉGAL

A monsieur le maire de la commune de Sendai.

Nom du demandeur ....**MAESAWA Ryôko**
Date de naissance ....1er avril an 20, ère Shôwa
Adresse ....Couvent de Bethléem, 656 Anyô-ji-shita, Odawara, Ichihara-chô, Sendai-shi
Domicile légal précédent ....6771 Iwai, Ichino-miya-chô, Chôsei-gun, Chiba-ken
Nouveau domicile légal ....656 Anyô-ji-shita, Odawara, Ichihara-chô, Sendai-shi

1er avril an 38 [2], ère Shôwa
Sur la déclaration de MAESAWA *Ryôko*

(Sceau)

VŒUX DE PREMIERE ANNÉE DU NOVICIAT

A sœur Maria-Elisabeth, mère supérieure
du couvent de Bethléem de la ville de Sendai

Moi, Maria-Magdalena – MAESAWA Ryôko, je m'engage à respecter à partir d'aujourd'hui et pendant

---

1. 1963.
2. 1964.

toute l'année qui vient les règles de notre congrégation en faisant vœu de chasteté, de pauvreté, d'obéissance et de solidarité.

Le 1er avril an 38, ère Shôwa
Maria-Magdalena – Maesawa Ryôko

*

VŒUX DE DEUXIEME ANNÉE DU NOVICIAT

A sœur Maria-Elisabeth, mère supérieure
du couvent de Bethléem de la ville de Sendai

Moi, Maria-Magdalena – Maesawa Ryôko, je
m'engage à respecter à partir d'aujourd'hui et pendant toute cette deuxième année les règles de notre
congrégation en faisant vœu de chasteté, de pauvreté,
d'obéissance et de solidarité.

Le 1er avril an 39, ère Shôwa
Maria-Magdalena – Maesawa Ryôko

*

VŒUX DE TROISIEME ANNÉE DU NOVICIAT

A sœur Maria-Elisabeth, mère supérieure
du couvent de Bethléem de la ville de Sendai

Moi, Maria-Magdalena – Maesawa Ryôko, je
m'engage à respecter à partir d'aujourd'hui et pendant toute cette troisième année les règles de notre
congrégation en faisant vœu de chasteté, de pauvreté,
d'obéissance et de solidarité.

Le 1er avril an 40, ère Shôwa
Maria-Magdalena – Maesawa Ryôko

DÉCLARATION DE MARIAGE

A Monsieur le Maire de la ville de Sendai.

Nom du futur époux ....**Kithara Gorô**
Date de naissance ....10 mars an 21, ère Shôwa
Adresse ....Pièce 5, Pavillon Chabatake, 41 ruelle Renbô, Sendai-shi
Domicile légal ....2863 Anazawa, Iwai-izumi-chô, Shimohei-gun, Iwate-ken
Nom du père ....Kithara Shôtaro
Nom de la mère ....Kithara Tome
Filiation paternelle et maternelle ....Cinquième fils
Premier mariage ou remariage ....Premier mariage
Profession du futur époux ....Vendeur ambulant de patates douces
Nom de la future épouse ....**Maesawa Ryôko**
Date de naissance ....1er avril an 20, ère Shôwa
Adresse ....Pièce 5, Pavillon Chabatake, 41 ruelle Renbô, Sendai-shi
Domicile légal ....656 Anyô-ji-shita, Odawara, Ichihara-chô, Sendai-shi
Nom du père ...._____
Nom de la mère ....Maesawa Fumi
Filiation ...._____
Premier ou remariage ....Premier mariage
Profession ...._____
Date du début de la cohabitation ....18 février an 44[1], ère Shôwa

(*Signature des conjoints*)

Date de la déclaration ....10 mars an 44, ère Shôwa

Témoins

Hiraoka Tatsuo

Né le ....30 mai an 40, ère Meiji
Adresse ....41 ruelle Renbô, Sendai-shi
Profession ....Gérant d'appartements

Ogawa Shûichi

Né le ....7 juin an 2, ère Taishô
Adresse ....82 Yonegafukuro, Sendai-shi
Profession ....Vendeur ambulant de patates douces

---

1. 1970.

DÉCLARATION DE GROSSESSE

A l'attention du Maire de la ville de Sendai.

Nom de la femme enceinte ....**KITAHARA Ryôko**
Age ....Née le 1er avril an
   20, ère Shôwa (24 ans)
Profession ....Femme au foyer
Domicile légal ....2863 Anazawa, Iwa-
   izumi-chô, Shimohei-gun, Iwate-ken
Adresse ....Pièce 5, Pavillon
   Chabatake, 41 ruelle Renbô, Sendai-shi
Nom du chef de famille ....KITAHARA Gorô
Profession ....Vendeur ambulant de
   patates douces
Mois de grossesse ....Premier mois
Date prévue d'accouchement ....6 janvier an 45, ère
   Shôwa
Examen médical des maladies
sexuellement transmissibles ....Rien à signaler
Test de la tuberculose ....Rien à signaler
Médecin traitant ....
Adresse ....62 Kinoshita, Sendai-
   shi
Nom de l'établissement ....Hôpital Inooka
Nom du médecin ....Inooka Goichi
Grossesses antérieures ....Première grossesse
Antécédents, maladies ....Sans
Fausse couche, accouchement prématuré
Mort-né ....Sans
Accouchement de prématuré ....Sans

Sur la déclaration de :
(Nom) KITAHARA Ryôko
19 mai an 44, ère Shôwa

DEMANDE D'ATTESTATION D'UN SINISTRE
DÛ À UN INCENDIE

A monsieur le Capitaine des pompiers de la ville de Sendai.

Utilisation prévue .... Document à joindre
    pour la demande d'abattement fiscal et la déclara-
    tion d'un enfant mort-né
Nombre d'exemplaires demandé .... Deux
Liens avec le demandeur .... Lui-même
Liens entre le demandeur et
les biens sinistrés .... Propriétaire
Contenu de l'attestation .... Attestation des dom-
    mages subis par les biens meubles, les objets,
    etc., contenus dans la pièce du pavillon Chabatake,
    n° 42 ruelle Renbô vers 19 h 30 le 30 novembre an
    44, ère Shôwa

Le 1er décembre an 44, ère Shôwa

(DEMANDEUR) .... **KITAHARA Gorô**
    .... Né le 10 mars an 21,
    ère Shôwa
    .... Pièce 8 Pavillon
    Aoba, 79 ruelle, Renbô, Sendai-shi

ATTESTATION DE SINISTRE

Nom du demandeur .... **KITAHARA Gorô**
Adresse .... Pièce 8, appartement
    Aoba, 79 ruelle Renbô, Sendai-shi
Contenu de l'attestation .... La pièce de six tata-
    mis qu'occupait le demandeur a été ravagée par un
    incendie qui s'est déclaré vers 19 h 30 le
    30 novembre an 44, ère Shôwa dans le pavillon Cha-
    batake, n° 41 ruelle Renbô, causant la perte de
    tous ses biens meubles qui se trouvaient à l'inté-
    rieur.

Je déclare exacts les faits mentionnés ci-dessus.

Le 1er décembre an 44, ère Shôwa
Capitaine des pompiers de la ville de Sendai

DÉCLARATION D'UN ENFANT MORT-NÉ

Sexe du mort-né ....Fille
Poids ....2 kg 300 g
Nombre de mois de grossesse ....Neuf mois
Moment de la mort du fœtus ....Avant l'accouchement
Date de l'accouchement ....1er décembre an 44,
   ère Shôwa, 3 h 40 du matin
Lieu de l'accouchement ....62 Kinoshita, Sendai-
   shi
Nature du lieu ....Hôpital (hôpital
   Inooka)
Nom de la mère ....Kitahara Ryôko
Cause de la mort du fœtus ....La mère a sauté par
   la fenêtre du premier étage à cause d'un incendie,
   et la chute a entraîné la mort du fœtus dont la
   grossesse arrivait à terme.

Je déclare exacts les faits mentionnés ci-dessus.

1er décembre an 44, ère Shôwa
Directeur Inooka Goichi
Hôpital Inooka
62 Kinoshita, Sendai-shi

                                       (Sceau)

DEMANDE D'AUTORISATION D'INCINÉRATION DU FŒTUS

A Monsieur le Maire de la ville de Sendai.

Nom du père ....**KITAHARA Gorô**
Nom de la mère ....**KITAHARA Ryôko**
Domicile légal du père ....2863 Anazawa, Iwa-izumi-chô, Shimohei-gun, Iwate-ken
Domicile légal de la mère ....Identique
Adresse des parents ....Pièce 8, Pavillon Aoba, 79 ruelle Renbô, Sendai-shi
Sexe ....Fœtus de sexe féminin de neuf mois
Filiation avec les parents ....Fille aînée
Date de l'accouchement ....1er décembre an 44, ère Shôwa à 3 h 40 du matin

SIGNATAIRE DE L'ATTESTATION D'ACCOUCHEMENT D'UN MORT-NÉ
Nom ....INOOKA Goichi
Adresse ....62 Kinoshita, Sendai-shi
Lieu de l'accouchement ....Hôpital Inooka, 62 Kinoshita, Sendai-shi
Lieu d'incinération ....Crématoire Komatsu-shima, Sendai-shi

NOM DU DEMANDEUR ....KITAHARA Gorô
Adresse du demandeur ....Pièce 8, Pavillon Aoba, 79 ruelle Renbô, Sendai-shi

Le 1er décembre an 44, ère Shôwa

DEMANDE DE RECHERCHE D'UNE PERSONNE
AYANT QUITTÉ SON DOMICILE

(Le fonctionnaire responsable prend en note la déclaration faite oralement par le demandeur.)

NOM DE LA PERSONNE AYANT FAIT LA FUGUE : KITAHARA Gorô

Date de naissance ....10 mars an 21, ère Shôwa

Domicile légal ....2863 Anazawa, Iwai-izumi-chô, Shimohei-gun, Iwate-ken

Adresse juste avant la fugue ....Pièce 8, Pavillon Aoba, 79 ruelle Renbô, Sendai-shi

Date de la fugue ....28 avril après-midi, an 45, ère Shôwa

Signalement ....Taille 1 m 68. Poids 60 kg. Visage rond. Teint clair. Supporte mal le froid, et souffre de gerçures aux mains et aux pieds du début de l'hiver à la fin du printemps. Présence d'une grosse verrue sur l'épaule droite. Dents de travers. Dos voûté. Jambes arquées. Cicatrice due à l'extraction d'un lobe du poumon. Difficulté d'élocution, léger bégaiement. Tenue de l'intéressé au moment de sa fugue : pantalon de travail vert et chemise blanche. Geta[1].

Destination supposée ....Il est peut-être allé chez l'un de ses anciens collègues vendeur ambulant de patates douces parti à Tôkyô trois ans auparavant et qui tient un petit commerce ambulant de *ramen*[2] du côté de Koiwa.

Raison de la fugue ....Depuis la mort de leur fille aînée mort-née, il ne s'entendait plus avec sa femme. C'est peut-être une brouille conjugale.

Nom du demandeur ....**KITAHARA Ryôko**

Adresse ....Pièce 8, Pavillon Aoba, 79 ruelle Renbô, Sendai-shi

Liens avec l'homme ayant quitté son domicile ....Epouse

---

1. Socques en bois.
2. Nouilles.

65

ENGAGEMENT ÉCRIT

A l'attention de la chaîne de cabarets
de la SA Florida

Par la présente, je m'engage, suite à mon intégra-
tion dans votre entreprise, à obéir aux ordres de mes
supérieurs, à respecter la discipline et à être fidèle
aux devoirs de ma fonction.

En outre, je m'engage à ne faire aucune réclama-
tion si je me faisais licenciée dans les cas mentionnés
ci-dessous, quel que soit le moment :

Liste :

1 – Si j'ai une conduite portant atteinte aux bonnes
mœurs ou qui trouble l'ordre.

2 – Si je m'absente plus de cinq jours d'affilée
sans raison légitime. Ou bien si je ne suis pas assez
assidue en étant souvent absente, en retard, ou en par-
tant plus tôt de mon travail.

3 – Si l'une de mes actions est susceptible
d'encourir une condamnation.

4 – Si je me fais engager dans un autre établissement sans votre autorisation.

5 – Si j'en viens à être désagréable avec la clientèle.

1er décembre an 45, ère Shôwa

AKEMI alias KITAHARA Ryôko
Pièce 8, Pavillon Aoba,
79 ruelle Renbô, Sendai-shi

LETTRE D'EXCUSES

KITAHARA Ryôko
Locataire
Pièce 8, Pavillon Aoba,
79 ruelle Renbô, Sendai-shi

Je présente toutes mes excuses aux propriétaires et aux locataires pour ne pas avoir respecté le règlement du contrat de location, en ramenant chez moi un ami dans la nuit après avoir bu de l'alcool. Je ne commettrai plus cette erreur, mais si jamais cela se reproduisait et que vous décidiez de m'expulser, je ne pourrais pas m'y opposer.

Le 4 mars an 47, ère Shôwa
KITAHARA Ryôko

DÉCLARATION DE DÉCÈS

(a) DÉFUNT :

Nom ....KITAHARA Ryôko

Date de naissance ....1er avril an 20, ère
Shôwa

Date et heure du décès ....24 décembre an 48,
ère Shôwa, à 23 h 40

Lieu du décès ....Route longeant le
couvent de Bethléem, Anyô-ji-shita, Odawara, Hara-
chô, Sendai-shi

Adresse du défunt ....Pièce 8, Pavillon
Aoba, 79 ruelle Renbô, Sendai-shi

Domicile légal ....2863 Anazawa, Iwa-
izumi-chô, Shimohei-gun, Iwate-ken

Conjoint ....Epoux KITAHARA Gorô
(disparu)

Profession du défunt ....Hôtesse à la réception

(b) SUR LA DÉCLARATION DE :

Nom ....Maria-Elisabeth

Date de naissance ....5 juin 1915

Adresse ....656 Anyô-ji-shita,
Odawara, Hara-chô, Sendai-shi

Domicile légal ....Québec, Canada

Profession ....Mère supérieure de la
paroisse japonaise de la congrégation des sœurs de
Bethléem

Déclaré le 25 décembre an 48, ère Shôwa
à Monsieur le Maire de la ville de Sendai

CERTIFICAT D'AUTOPSIE

Nom du défunt ....**Kitahara Ryôko**

Date de naissance ....1er avril an 20, ère
   Shôwa

Date et heure du décès ....24 décembre an 48,
   ère Shôwa, à 23 h 40

Lieu du décès ....Route Anyô-ji-shita,
   Odawara, Hara-chô, Sendai-shi

Nature du décès ....Causé par un événement extérieur

Cause du décès ....Eclatement des
   organes internes provoqué par un accident de voiture

Certifié conforme
Le 24 décembre an 48, ère Shôwa
OGI Yasumasa (médecin)
5-1009 quartier résidentiel Annai, Odawara,
Hara-chô, Sendai-shi.

                                                    (Sceau)

DEMANDE D'AUTORISATION D'INCINÉRATION
DU CORPS DU DÉFUNT

Domicile légal du défunt(e) ....2868 Anazawa, Iwa-
   izumi-chô, Shimohei-gun, Iwate-ken

Adresse ....Pièce 8, Pavillon
   Aoba, 79 ruelle Renbô, Sendai-shi

Nom du défunt(e) ....Kitahara Ryôko

Sexe ....Féminin

Date de naissance ....1er avril an 20, ère
   Shôwa

Cause du décès ....Ne provient pas d'une
   maladie contagieuse

Signataire du certificat d'autopsie ......Ogi Yasumasa, 5-1009
   quartier résidentiel Annai, Odawara, Hara-chô, Sendai-shi

Date et heure de décès ....24 décembre an 48,
   ère Shôwa, à 23 h 40

Lieu du décès ....Route municipale
   Anyô-ji-shita, Odawara, Hara-chô, Sendai-shi

Lieu d'incinération ....Crématoire Komatsu-
   jima, Sendai-shi

Adresse du demandeur ....656 Anyô-ji-shita,
   Odawara, Hara-chô, Sendai-shi

Nom du demandeur ....Maria-Elisabeth

Liens du demandeur avec
le défunt(e) ....Marraine

Le 26 décembre an 48, ère Shôwa
A Monsieur le Maire de la ville de Sendai.

ACTE D'ACCUSATION
(PRÉVENU EN PRISON)

J'engage des poursuites judiciaires contre le prévenu dans l'affaire ci-dessous :

7 janvier an 49, ère Shôwa

> *Substitut du Procureur adjoint*
> *Parquet régional de Sendai*
>
> **Contre**
>
> *A M. XXX*
> *Tribunal de Sendai*

Domicile légal ....1-6 Tsubamesawa, Ichihara-chô, Sendai-shi
Adresse ....Identique
Profession ....Directeur de société

Infraction au code de la route
Homicide involontaire commis durant l'exercice de son activité professionnelle
Nom ....**Furukawa** Toshio
....Né le 4 octobre an 9, ère Shôwa

Faits reprochés :
L'accusé
1 — Conduisait un véhicule ordinaire sur la route proche de Anyô-ji-shita, Odawara, Hara-chô, Sendai-shi, vers 23 h 40 le 24 décembre an 48, ère Shôwa, alors qu'il était en état d'ébriété et qu'il risquait sous l'influence de l'alcool de ne pas conduire normalement.
2 — Aux date et heure citées ci-dessus, tandis qu'il conduisait le véhicule mentionné plus haut et qu'il avait des difficultés à garder les yeux fixés sur la route à cause de l'alcool qu'il avait bu avant de prendre le volant, alors que dans son état il risquait de ne pas pouvoir conduire normalement, et bien qu'il se devait de s'arrêter immédiatement par précaution, il a commis la faute de manquer à son devoir en continuant de conduire à 60 km/h, malgré son manque de lucidité, près de l'endroit cité dans le paragraphe précédent, sans voir Kitahara Ryôko (28 ans) qui marchait devant la voiture sur le bas-côté à gauche [1] dans la même direction que lui...

---

1. La circulation se fait à gauche au Japon.

70

La veille de Noël

Très chère mère supérieure Elisabeth,

Je suis complètement épuisée. Je vous ai abandonnée, j'ai renoncé à ma foi, et je suis partie dans le monde extérieur, mais est-ce moi qui suis faible ? J'ai le corps et le cœur brisés. Je ne peux pas continuer à vivre ainsi, que vais-je devenir ? C'est au moment où je me posais toutes ces questions le cœur vide que votre visage m'est apparu. Vous me direz peut-être que je suis une fille égoïste, mais je ne vois pas d'autre moyen pour moi maintenant que de me raccrocher à vous pour continuer à vivre. Pourtant quand je me suis retrouvée devant votre porte, je n'ai pas eu le courage d'appuyer sur la sonnette. L'entrée m'a semblé inaccessible.

J'ai donc décidé d'écrire cette lettre dans un salon de thé du quartier, et de me contenter pour ce soir de la mettre dans votre boîte. Je reviendrai demain. Et sans doute aurai-je alors le courage de sonner.

A l'époque où je vous ai dit que je voulais quitter le couvent, vous m'avez demandé : « Mais explique-moi donc quelles sont les raisons de ton départ. Si tes arguments sont convaincants, je te laisserai évidemment partir avec joie ».

Et je suis partie sans rien vous expliquer... Je souhaitais réellement vous en parler, mais je n'ai pas pu.

Souvenez-vous, ma Mère, du jour où je ne suis pas allée à l'école parce que je souffrais de terribles gerçures aux mains et aux pieds pendant ma sixième année à l'école élémentaire. Je suis restée assise toute la journée dans la chapelle. Et j'étais en train de regarder le Christ, le Fils de Dieu crucifié, quand soudain je n'ai plus senti la douleur, comme si on l'avait fait disparaître. Et tandis que je regardais Ses mains percées par des clous, j'ai pensé que « comparées à Ses douleurs aux mains, les miennes n'étaient que des piqûres de moustiques ». Le Christ m'a paru de plus en plus proche et j'ai alors décidé : « Je veux devenir son Epouse ».

La cérémonie des vœux de noviciat était donc pour moi semblable à une promesse de fiançailles avec Lui, et je me rappelle de mon exaltation.

Mais j'ai senti l'angoisse m'envahir peu à peu. Car j'avais beau crier intérieurement « Je me donne toute à Toi. Je T'aime », Il ne me répondait pas du tout. J'ai commencé à perdre patience, et c'est à ce moment-là que je l'ai rencontré en bas de la côte.

C'était un marchand ambulant de patates douces. A force de laver ses patates quotidiennement, il avait des crevasses aux mains. J'ai pris ses mains rouges pour Ses mains percées par les clous. J'étais persuadée qu'il s'agissait de la réincarnation du Christ. Et j'ai quitté le couvent...

Je n'ai tout de même pas osé vous confier que j'allais épouser le Christ, voilà pourquoi je me suis tue, mais c'est la vérité. Bien que celle-ci ne me semble plus aussi impressionnante à dire à présent.

Mais il n'y a pas de Christ dans le monde extérieur. S'il existe, Il doit se trouver dans la chapelle. Je vous en prie, ma Mère, prenez-moi dans un petit coin de votre couvent. J'accepterai de faire n'importe quoi, même un emploi subalterne[1]. Je vous en prie.

Ryôko Maesawa

---

1. Référence est certainement faite au Fils prodigue dans l'Evangile.

IV

LE CORRESPONDANT

1

Le 16 avril

Pour Mademoiselle Sachiko Kobayashi

Ma petite Sachi,

J'ai reçu ta lettre dans laquelle tu me disais renoncer à notre voyage dans l'île de Hokkaidô prévu pour l'été prochain. Je le regrette vraiment, nous avions ce projet en tête depuis le lycée. Mais tant pis, j'irai quand même. Tu vas me demander si je suis vraiment capable de voyager sans toi pendant une semaine à Hokkaidô. Et bien, oui. Tu n'es pas la seule à connaître cette région. Que penses-tu de ma petite stratégie ? Je vais faire paraître une petite annonce dans une revue de voyages et me présenter ainsi : « Je souhaite correspondre avec une personne habitant à Hokkaidô. Je suis une jeune OL[1] et je voudrais faire un voyage dans cette région au début du mois août. » Hé, hé, pas bête, hein !

Et toi, tu préfères aller dans la maison de vacances de ton entreprise à Karuizawa, mais j'ai ma petite idée : tu es amoureuse. Tu n'as pas besoin de me le

---

1. « *Office lady* » : employée de bureau.

cacher, je l'ai deviné. Nous nous connaissons depuis le collège, voilà six ans que nous sommes amies. Je sais exactement ce que tu ressens, comme si je lisais dans mes propres pensées. De toute façon, cela sauterait aux yeux de n'importe qui en lisant ta lettre de trois pages. Sais-tu combien de fois apparaît l'expression « M. Harada qui est assis en face de moi » ? Sept fois en tout ! N'importe qui comprendrait qu'il se passe quelque chose.

Néanmoins, je t'envie : une grande banque, une maison à Karuizawa, de jeunes employés pleins d'avenir, « M. Harada qui est assis en face », tu passes les vacances d'été à Karuizawa, tu te fais inviter par ces jeunes employés… Mais, contrairement à moi, tu étais bonne élève, tu es belle, j'ai donc sans doute tort de t'envier. En tout cas, quand je compare ton entreprise à la société où je travaille, c'est la lune et le trionyx[1], les poissons rouges et les *medaka*, c'est vraiment le nuage blanc et la boue sale[2]… Ma société s'appelle la papeterie Toyota, mais elle n'a aucun rapport avec la célèbre marque de voitures[3]. Oh ! ce n'est même pas la peine de le préciser. Elle se trouve dans une rue de grossistes à Asakusabashi. Comme j'habite près de la gare de Nakano, j'ai une ligne de train directe, et pour ça au moins, c'est pratique. Je crois que nous sommes vingt-cinq employés dans la société. Je n'ai vu le PDG qu'une seule fois. Il paraît que c'est un fou de mahjong. Il ne vient pratiquement jamais au bureau. On dit qu'il joue presque tous les jours avec ses petites plaques à Atami, Shimoda ou Minakami. C'est là qu'il

---

1. Tortue à la forme arrondie comme la lune, mais terne et sans beauté.
2. Métaphore pour dire le jour et la nuit.
3. En référence à Mitsubishi qui, en revanche, fabrique des crayons.

reçoit les fabricants de fournitures et les petits grossistes de province. La papeterie Toyota est un important grossiste qui fait l'intermédiaire entre les deux parties.

Le frère cadet du PDG est le gérant de la société. On le sent très tendu. Il souffre de l'estomac et prend constamment des médicaments. Mais cela ne l'empêche pas de se lever tôt, et à huit heures du matin, il est déjà à son bureau. Le travail débute normalement à huit heures et demi pour les employés, mais comme tu vois, le responsable de la gestion arrive en avance. Alors, je suis bien obligée moi aussi de venir plus tôt. Ce n'est pas facile. Heureusement, ce gérant n'est pas méchant. Il est aimable, et c'est un homme sûr car il est prêt à assumer toutes les responsabilités. C'est quelqu'un qui se donne à son travail, qui explique tout. J'ai bien l'impression que s'il n'était pas là, notre société ferait faillite sur-le-champ.

Mon chef de service passe le plus clair de son temps à jouer le lèche-bottes auprès du PDG. Il va constamment à la station thermale où celui-là se trouve en permanence, soi-disant pour parler travail et lui transmettre des informations. Il a une peau grasse et luisante, et par-dessus le marché, il a des pellicules. Rien qu'à l'idée de m'approcher de lui, je suis malade !

Celui qui est assis en face de moi est un jeune homme de province. Il s'appelle Nishimura. C'est quelqu'un de taciturne. Il tape toute la journée sur sa calculette sans rien dire. Pourtant, quand nos regards se croisent par hasard, il sourit sans raison particulière. Son visage paraît tout bosselé à cause de l'acné, et lui aussi me dégoûte. Nous ne sommes que trois à nous occuper de la comptabilité : ce chef de service, ce monsieur Nishimura et moi. Comme le chiffre d'affaires annuel ne dépasse pas un milliard de yens, à trois, on peut s'en sortir.

L'immeuble de logements à loyer modéré situé dans le quartier fait office de dortoirs pour les employés. Je me demande si ma société aura au moins une maison de vacances à Karuizawa dans dix ans. J'imagine que non. Je ne travaille ici que depuis deux semaines, je ne peux donc pas faire de grands discours, mais il paraît que de plus en plus de grossistes disparaissent. Tu dois savoir que l'arrivage et la vente directes des légumes, des fruits, du lait et des œufs, est à présent devenu très courant dans tout le pays, et maintenant, dans ce domaine, on ne passe plus par l'intermédiaire de grossistes. C'est pareil pour nous. Il n'est donc pas question de résidence d'entreprise à Karuizawa, et ce serait vraiment un coup de chance si la société existait encore dans dix ans.

Bon, je te quitte maintenant, ma petite Sachi. Fais toutes mes amitiés au jeune Harada « d'en face ». Je te souhaite une bonne santé. J'aimerais bien qu'on se voit quelque part pour bavarder.

Hiroko Motomiya

MENSUEL *VOYAGE ET HISTOIRE*,
NUMÉRO DU MOIS DE JUIN

Je projette de faire un voyage à Hokkaidô au début du mois d'août prochain. Je rêve de prendre un train de nuit. Je voyagerai seule, et j'ai l'intention de partir sept jours. Je souhaiterais qu'une personne de la région me donne de bons conseils pour préparer mon séjour. Et j'aimerais aussi entretenir une correspondance.

Hiroko Motomiya
Employée (19 ans)
41 Uchikoshi-chô, Nakano-ku, Tôkyô

3

Le 15 mai

Pour la deuxième candidate à vouloir devenir ma maîtresse.

Alors, tu as envie de voyager dans l'île de Hokkaidô. Tu veux que je t'accompagne ? Et si je me présentais d'abord. En temps normal, je fais huit centimètres de long, et j'ai à peu près la grosseur d'un salami. Mais quand je bande, c'est génial ! Je fais alors quatorze centimètres de long, et j'atteins la grosseur d'un gros bouchon de bouteille de rosé Manzu. Tu veux que j'enfonce mon machin dans ton trou, dans un hôtel du Hokkaidô ? Comme ça, tu ne pourras jamais oublier ce voyage de ta vie. Mais ce serait embêtant de s'écrire. Si on se voyait pour bavarder un peu. Je t'attends le troisième dimanche du mois de mai à midi, dans le hall du *Keio Plazza Hotel* à Shinjuku[1]. J'aurai des lunettes noires, et *Voyage et Histoire* dans la main. Si tu veux, on pourra louer une chambre tout de suite et coucher ensemble. Je te donnerai de bons conseils sur les techniques du sexe.

Vu que tu as fait paraître une petite annonce pour trouver un correspondant, toi, tu ne dois pas avoir de succès. J'imagine que tu es plutôt moche. Mais bon, ça ira quand même. Puisque je ne m'intéresse qu'à ce qui se trouve au-dessous du cou. Allez, je t'attends.

Black Emperor

4

Le 17 mai

Mademoiselle Hiroko Motomiya,

En tant que lecteur assidu de *Voyage et Histoire*, je me suis permis de prendre ma plume pour vous écrire. Je suis un vieux monsieur âgé de soixante-sept ans résidant à Hakodate[2]. Mais, en dépit de mon âge et de mes fausses dents, je ne me laisse pas distancer par plus jeune que moi. Dans ma famille, nous sommes marchands de meubles de père en fils, et sans vouloir me vanter, je peux dire que notre établissement est le premier, sinon le second de la ville. Mais j'ai confié toute l'affaire à mon fils et désormais je suis à la retraite.

J'aimerais que vous me demandiez de vous guider au cours de votre voyage dans l'île de Hokkaidô. Je

---

1. Un des quartiers les plus fréquentés de Tôkyô.
2. Ville importante du Hokkaidô.

l'ai parcourue de long en large plusieurs dizaines de fois puisqu'il s'agit de mon pays, et il doit rester très peu d'endroits où je ne suis pas allé. Je connais également son histoire, et notamment celle des Aïnous[1]. J'ai publié plusieurs thèses sur ce sujet dans une revue dont je m'occupe avec d'autres passionnés résidant dans la ville.

Mais vous devez vous demander la raison de ma proposition. Laissez-moi vous l'expliquer. Je n'aime pas les touristes que vous représentez et qui visitent l'île de Hokkaidô. Ces derniers temps, il y a bien trop d'individus qui s'intéressent seulement de manière superficielle à ce qui est visible : les champs de pommes de terre, les champs de maïs, les *ramen*, les terres sauvages, les rangées de peupliers dans les avenues et la fête de la Neige. Je ne dis évidemment pas qu'il ne faut pas les regarder ni les apprécier. Mais c'est un voyage qui n'apporte vraiment pas grand-chose si vous vous contentez de regarder le Hokkaidô qui s'offre à vos yeux, et je souhaiterais, chère Mademoiselle, que vous repartiez après avoir appris l'histoire des Aïnous et celle des « défricheurs[2] ». J'aimerais que vous sentiez un peu combien le Hokkaidô, tout comme Okinawa, ont été exploités et humiliés par ceux de l'île principale de Honshû[3]. Voilà ce que je voudrais vous transmettre. Vous devez me prendre pour un vieux radoteur, mais je suis las de voir arriver à Hokkaidô, dès la saison

---

1. Hokkaidô était autrefois habitée par cette population aborigène des Aïnous, au physique différent du reste des Japonais, aux langues et aux coutumes propres.
2. Le gouvernement Meiji envoya de nombreux paysans et parfois même des repris de justice pour défricher les terres de la région.
3. Tôkyô se trouve dans cette île de Honshû.

venue, des jeunes touristes en jeans avec leurs gros sacs à dos, en quête d'une sorte « d'exotisme ».

Il est impossible de faire la morale aux milliers de touristes qui viennent ici, mais je peux toujours essayer avec quelques personnes. Et j'ai décidé de commencer par vous. Que diriez-vous de me prendre comme guide cet été ? J'espère que vous me donnerez votre réponse.

Daisaburô Takano
3 Gamayuno, Hakodate-shi

5

Le 17 mai

Mademoiselle Hiroko Motomiya,

J'ai lu que vous prévoyiez un voyage à Hokkaidô au début du mois d'août, et si j'étais vous, j'irais voir en priorité le feu d'artifice de la rivière Toyohiragawa à Sapporo pour la fête de Tanabata[1], célébrée le 7 août, un mois plus tard. Je l'ai vu une année, il est magnifique. Mais il doit y en avoir aussi un à Tôkyô ce jour-là. Et j'imagine qu'il est beaucoup plus important que celui de la Toyohiragawa. Toutefois, comme le ciel de Hokkaidô est très pur, les feux d'artifice sont vraiment éblouissants. Et comme les étoiles ne brillent pas autant au-dessus de la capitale, j'imagine que les couleurs ne se détachent pas aussi

---

1. « Festival des étoiles », mais aussi fête des amoureux, célébrée en d'autres régions le 7 juillet. Selon l'ancienne légende chinoise, c'est la nuit de l'année où le Bouvier (Altaïr) peut traverser la voie lactée pour rencontrer sa bien-aimée la princesse Tisserande (Véga). Il est dit que les vœux deviendront réalité.

nettement dans le ciel et ne paraissent pas aussi lumi-
neuses. C'est pour cette raison que je vous conseille
de venir voir celui de Sapporo au moins une fois.

Dans le cas où vous arriveriez à Hokkaidô par le
bateau Seikan-renrakusen [1], Hakodate serait naturellement le point de départ de votre voyage, et on
trouve dans le sud de l'île autour de cette ville de
nombreux sites culturels : les ruines du Shinoriya-
kata, l'ancien manoir des Kobayashi (des gentil-
hommes campagnards de petite noblesse), se trouvent
à Zenikamezawa à Hakodate, et les ruines des
manoirs de Katsuyamayakatsa et Hanazawayakata
qui sont à Kaminokuni-chô à Hiyama-gun. A Matsumae, on trouve les ruines du château de Fukuyama
qui a pris ensuite le nom de Matsumae. Dans la ville
d'Esashi, qui est aussi ancienne que celle de Matsumae, on peut voir la résidence de la famille
Yokoyama, demeure d'un patron de pêche où sont
exposés divers ustensiles utilisés dans la vie quoti-
dienne pour le ménage ou employés pour la pêche au
hareng, qui évoquent l'époque florissante de cette
activité. On peut aussi aller voir le fort de
Goryôkaku [2] à Hakodate, édifice à l'architecture particulière. Deux jours de visite dans ces endroits per-
mettent de bien s'imprégner de l'atmosphère de cette
terre appelée « Hokkaidô » (Route de la mer au
Nord) et de comprendre son histoire.

Bon, imaginons que nous ayons passé deux jours à
Hakodate. Supposons maintenant que nous visitions

---

1. Il faisait autrefois la navette entre Aomori et Hakodate.
A disparu depuis l'ouverture en 1988 du tunnel sous-marin reliant
Honshû à Hokkaidô.

2. « Etoile à cinq branches ». Il doit son nom à sa forme penta-
gonale, et a été construit « à la Vauban » au milieu du XIXe siècle.
Le premier du genre au Japon.

Sapporo pendant deux jours. Il nous en resterait donc trois sur un programme d'une semaine. Et c'est là que commencent les difficultés. Nous pouvons décider d'aller directement au nord, à Wakkanai, ou bien vers le nord-est, à Abashiri, en passant par Asahikawa, ou encore vers l'est pour voir Kushiro et Nemuro, en faisant un détour par le cap Erimomisaki pour rentrer. Selon le circuit que vous choisiriez, votre impression de Hokkaidô serait différente. Mais à vrai dire, il est impossible de « visiter Hokkaidô en sept jours ». Et même pour avoir seulement un aperçu de la région, il faudrait la parcourir au pas de course pendant au moins quinze jours.

Mais je réalise soudain que j'ai oublié de me présenter. Je suis d'Abashiri[1]. Je suis un jeune célibataire de vingt-trois ans sans talent particulier, et je travaille dans l'administration. Mais il faut aussi que je vous explique pourquoi je vous envoie cette lettre : à la fin du mois de juillet prochain, je dois participer pendant une semaine à un stage de formation organisé à l'échelle nationale à Tôkyô. Je pourrais donc vous retrouver le jour de mon départ de la capitale et vous conduire à Hokkaidô. Et parmi les trois circuits que je vous ai proposés, en tant qu'habitant d'Abashiri, je voudrais vous recommander le deuxième, celui qui mène à ma ville. Vous pourriez apprécier les paysages typiques du Nord tels que le Gensei-kaen, cette réserve naturelle de fleurs sauvages qui s'épanouissent dans la plaine de Shari donnant sur la mer, la forêt du cap Notoro, les grands pâturages, etc. Je pourrais vous y conduire en voiture, et même vous offrir de loger dans ma maison si vous le souhaitiez. Elle se trouve à Shari-chô, à quarante kilomètres à l'est d'Abashiri, et le

---

1. Endroit connu pour sa prison, la plus grande du Japon.

vaste tapis floral s'étend jusque devant chez moi. Je suis sûr que cela vous plairait. Moi, j'habite chez un ami à Abashiri. Mais je m'aperçois que ma lettre est très longue, je m'arrête donc pour aujourd'hui.

Kenichirô Sakai chez M. Hino
6-7 Mogin, Abashiri-shi

6

Le 21 mai

Ma petite Sachi,

J'ai passé un bon moment avec toi samedi après-midi. C'était nos premières retrouvailles depuis la fin de nos études, et quand je t'ai vue, j'ai été surprise, tu sembles devenue quelqu'un d'autre. Tu es si belle maintenant que je t'envie. Mais peut-être qu'on est d'une élégance naturelle lorsqu'on travaille pour une grande banque ? Alors que moi, je ressemble toujours à une provinciale. Et j'ai beau soigner ma tenue, ma société étant ce qu'elle est… Mais tu sais, je ne peux rien y faire, c'est surtout à cause de mon physique.

A propos, sache que j'ai reçu trois lettres dans la semaine. J'ai finalement obtenu trois réponses à ma demande de correspondant pour mon voyage à Hok-kaidô, et elles étaient toutes écrites par des hommes. Mais la première m'a bien l'air d'être une mauvaise plaisanterie, elle était bourrée d'insanités. Je n'en croyais pas mes yeux quand je l'ai lue, je suis devenue cramoisie. Et je me suis même écriée « quelle horreur ! » avant d'en faire une boule de papier que j'ai aussitôt jetée à la poubelle. Mais je l'ai récupérée un peu plus tard pour te la montrer, la prochaine fois que nous nous verrons, tu pourras te faire une idée. Le type n'y est pas allé avec le dos de la cuillère.

La deuxième m'a été envoyée par un vieil homme de Hakodate. Celle-là est sérieuse. Mais elle l'est tellement que vers la fin, ce n'est plus qu'un discours moralisateur. Je vais aussi la laisser de côté.

La dernière est banale, mais disons que celui qui l'a écrite est reçu. Il me paraît sympathique. C'est un jeune homme de vingt-trois ans, un habitant de la ville d'Abashiri. Il dit qu'il travaille dans l'administration. Il s'appelle Kenichirô Sakai. On dirait le nom d'un jeune premier, tu ne trouves pas ? Bon, j'arrête pour aujourd'hui de te raconter ma vie. Comment va le M. Harada assis en face ? Est-il toujours aussi sympathique ?

Hiroko Motomiya

7

Le 21 mai

Monsieur Daisaburô Takano,

Je vous remercie pour votre lettre. A la suite de ma petite annonce parue dans *Voyage et Histoire*, on m'a fait parvenir quatre-vingt-trois réponses. Il m'a fallu réfléchir longuement avant de décider à laquelle de ces personnes j'allais demander de bien vouloir devenir mon correspondant. Et j'ai commencé par passer les candidats au crible – veuillez me pardonner d'utiliser cette expression – en m'appuyant sur les critères suivants :

1. Eliminer en priorité les lettres de mauvais plaisantins.

2. Eliminer les personnes de mon sexe.

3. Eliminer tous les hommes âgés de plus de trente ans ou de moins de vingt ans.

Il en résulte que vous faites partie de la troisième catégorie, et je me vois donc contrainte de vous éliminer de ma sélection. Je vous prie de ne pas le prendre mal. Et soyez rassuré, car j'ai bien l'intention d'étudier l'histoire des Aïnous et celle des défricheurs. Mes sincères salutations.

Hiroko Motomiya

8

Le 21 mai

Monsieur Kenichirô Sakai,

Parmi toutes les personnes qui se proposaient de devenir mon correspondant dans les quatre-vingt-trois lettres que j'ai reçues, c'est vous que j'ai choisi, et je dois tout d'abord vous expliquer la raison de mon choix. Certaines de ces lettres étaient manifestement écrites par de mauvais plaisantins. D'autres venaient de personnes âgées. Une fois ces deux catégories éliminées, il m'en restait un peu plus d'une trentaine. Tous ces gens me semblaient sérieux et gentils, et j'avais beau réfléchir, je n'arrivais pas à me décider, quand la montagne de lettres s'est soudain effondrée et l'une d'elles est tombée sous mon bureau.

J'ai eu une réaction bizarre à ce moment-là. J'ai pensé : « Et si c'était Dieu qui l'avait sélectionnée à ma place ? »

Puis je me suis dit : « Oui, c'est sûrement ça. Dieu a voulu m'aider en me voyant incapable de prendre une décision. »

Alors, j'ai ramassé craintivement la lettre. C'était la vôtre. A cet instant, j'ai décidé de vous demander de devenir mon correspondant et de me rendre à Abashiri cet été.

Maintenant, permettez-moi de vous parler un peu de moi… Depuis le mois d'avril, je suis comptable chez un grossiste en papeterie. En réalité, j'ai réussi le concours d'entrée d'une grande banque, mais comme ce grossiste voulait absolument me voir travailler pour lui, je me suis laissée faire en dépit de mon manque d'enthousiasme. Il faut savoir que mon oncle est le PDG, voilà pourquoi j'ai fini par céder.

Pour tout vous dire, mon travail est ennuyeux. Et je trouve mon bureau triste également. Car l'homme qui est assis en face de moi ne prononce pas un mot de la journée. Vous savez bien que dans la plupart des entreprises, les employés vont déjeuner en compagnie de collègues qui leur sont sympathiques. Mais nous, nous ne sommes que deux comptables : cet homme silencieux et moi. Je déjeune donc toujours seule. Il y a aussi une espèce de chef de service, mais n'en parlons pas. Non seulement il est absent un jour sur deux, mais même quand il est là, il apporte son déjeuner.

Je vais en rester là pour aujourd'hui. Et j'attends déjà avec impatience de voir à Sapporo le feu d'artifice au-dessus de la Toyohiragawa.

Hiroko Motomiya

9

Mademoiselle Hiroko Motomiya,

Je viens de recevoir votre réponse m'informant que j'avais été éliminé de votre sélection. Ce n'est pas que je vous en veuille, mais je constate que finalement, vous cherchez un homme plutôt qu'un correspondant. Cela se voit clairement à la façon dont vous avez établi vos critères…

2. Eliminer les personnes de mon sexe.

3. Eliminer les hommes qui n'ont pas entre vingt et trente ans.

On découvre aisément quelles sont vos véritables intentions. Il n'y a rien de mal à chercher un compagnon, mais j'espère que votre prochain voyage à Hokkaidô ne sera pas un voyage de larmes où vous serez un jouet entre les mains d'un homme.

Daisaburô Takano

10

Le 5 juin

Mademoiselle Hiroko Motomiya,

Merci pour votre lettre. C'est formidable que vous ayez reçu quatre-vingt-trois propositions. Quelle chance d'avoir été choisi parmi toutes ces personnes pour devenir votre correspondant. Il me faut être reconnaissant à Dieu qui a fait tomber ma lettre sous votre bureau.

Vous dites que votre oncle est le PDG de la société où vous travaillez, mais j'imagine que cette situation entraîne beaucoup d'inconvénients pour vous. Et cela ne doit pas être facile pour les autres non plus. C'est probablement le cas pour l'homme silencieux assis en face de vous. Il se sent sûrement gêné de se trouver avec la nièce du directeur. Et si c'était vous, qui lui proposiez d'aller déjeuner quelque part… Quoique, je n'y tienne pas tellement en réalité. Ma réaction peut vous paraître égoïste, mais pour tout vous dire, je suis jaloux.

En tout cas, mon stage se termine le 3 août et je rentre le jour même à Hokkaidô. Je prends l'express (*Towada* n° 3) de 22 h 27 à la gare d'Ueno. Ce qui me fait arriver à Hakodate le lendemain à 15 heures. Je vous ai joint sur une feuille séparée le programme que j'ai prévu pour la suite. Regardez-le afin de vous faire une idée du circuit que nous pourrions faire. Et si vous voulez apporter des modifications, n'hésitez pas à m'en faire part. J'attends déjà avec impatience le jour où nous ferons enfin connaissance.

Kenichirô Sakai

11

Le 10 juin

Monsieur Kenichirô Sakai,

Je vous remercie d'avoir établi un programme pour mon voyage de cet été. Je vais l'afficher sur le mur de ma chambre, et je le regarderai tous les jours. Aujourd'hui je me suis arrêtée dans une librairie où j'ai acheté cinq guides touristiques ainsi que des livres relatant l'histoire du Hokkaidô. J'ai l'intention de me documenter beaucoup sur la région avant mon départ.

A propos, j'ai suivi vos conseils de l'autre jour. J'ai proposé à l'homme silencieux assis en face de moi, de venir déjeuner avec moi. Ah, c'est vrai, je ne vous ai pas encore dit comment il s'appelait. Mitsutaka[1] Nishimura. Voilà quel est son nom. C'est un nom qui fait très chic, vous ne trouvez pas ? M. Nishimura est tout d'abord resté interloqué. Puis il a fini par me suivre, le visage cramoisi.

Il n'a pratiquement pas parlé de tout le repas. Je ne savais pas quoi faire. Et en plus, il a fait tomber sa tasse avec le coude, et même sa cuillère, mais il restait tout raide. Moi, je me suis mise à rire. Et, apparemment, c'est en me voyant rire qu'il a réussi à oublier un peu de sa gêne vis-à-vis de moi. Après ce repas, nous avons pris l'habitude de parler de temps à autre, bien que cela ne soit toujours que des bribes de conversation. Bref, une petite bouffée d'air frais a fini par traverser mon bureau que je trouvais si morne. Je dois donc vous en remercier.

Et à l'instant où je vous écris, je regarde la photo de vous que vous m'avez envoyée en même temps que votre programme. Sincèrement, je ne vous imaginais pas aussi beau. Nous n'avons pas encore échangé un seul mot, et pourtant j'ai l'impression que… vous êtes comme mon frère. Je vous envoie une photo de moi également. J'espère que vous ne serez pas déçu.

Hiroko Motomiya

---

1. En référence à un nom aristocratique.

Le 25 juin

Mademoiselle Hiroko Motomiya,

Merci beaucoup pour la photographie. Vous êtes telle que je vous imaginais. Je sentais bien que vous étiez quelqu'un de sérieux en lisant vos lettres et cela se voit sur votre visage. Et puis vous avez des yeux magnifiques. Sans doute Dieu, notre Créateur, s'est-il appliqué à créer vos yeux. A tel point qu'il a peut-être un peu négligé le reste, mais c'est sans importance, vous me plaisez comme vous êtes. Merci encore.

Vous avez donc suivi mon conseil en invitant l'homme silencieux à venir déjeuner avec vous. Eh bien, je suis content de vous avoir été utile. D'après mon expérience, on ne peut guère faire confiance aux individus qui ne cessent de bavarder devant une femme. La plupart des hommes, et surtout ceux qui ont entre vingt et vingt-cinq ans, bégayent plus ou moins en présence d'une femme, par conséquent l'homme silencieux doit être un homme correct, mais non… je ne veux plus entendre parler de lui. C'est vrai, je le reconnais, j'éprouve nettement de la jalousie pour lui à présent. Bon, changeons de sujet. Quand je serai à Tôkyô pour mon stage, à la fin du mois de juillet, je ne chercherai pas à prendre contact avec vous. Je pourrais vous voir pendant mon séjour, puisque je serai dans la capitale, mais je trouve qu'il n'y aurait rien de mieux, pour la scène de notre première rencontre, que le guichet de la gare d'Ueno, à l'heure du départ vers Hokkaidô. J'attendrai donc ce moment-là même si cela risque d'être dur. Ah, encore quarante jours. Pourvu qu'ils passent vite.

Kenichirô Sakai

Le 30 juin

Monsieur Kenichirô Sakai,

Je me permets d'entrer tout de suite dans le vif du sujet, mais je suis obligée de vous parler d'une chose désagréable. Voudriez-vous bien lire ma lettre jusqu'au bout sans vous mettre en colère.

Aujourd'hui, M. Nishimura, l'homme silencieux, m'a invitée à aller prendre le thé avec lui. Et à cette occasion, il m'a demandé timidement : « Est-ce que vous avez un petit ami en ce moment ? » Lorsque je lui ai répondu que j'avais un correspondant, qu'il travaillait dans une administration à Abashiri, et que j'ai donné votre nom, il a réfléchi un instant avant de me dire brusquement : « Il se peut bien que ce Kenichirô Sakai soit un prisonnier de la prison d'Abashiri. »

J'étais tellement surprise que je suis restée bouche bée à le regarder. Mais il a poursuivi : « Je vois trois raisons. Tout d'abord, je me souviens d'un fait divers : un prisonnier de la prison de Miyagi à Sendai avait pris une correspondante pendant son séjour en prison, et dès sa sortie, il était allé directement chez elle et l'avait escroquée d'un million de yens[1] en lui promettant le mariage pour l'appâter, promesse qu'il n'avait évidemment pas tenue. J'ai l'impression qu'il s'agit de la même tactique. Ensuite, vous avez écrit votre première lettre à ce Kenichirô Sakai le 21 mai. Et lui vous a envoyé sa réponse datée du 5 juin. Je ne sais pas le temps qu'il faut exactement pour acheminer le courrier de Tôkyô à Abashiri, mais cinq jours devraient suffire. Si l'on suppose que vous avez posté

_____

1. Environ cinquante mille francs.

dès le lendemain la lettre que vous avez écrite le 21 mai, elle a dû arriver le 27 au plus tard à Abashiri. Or, ce monsieur Sakai a mis dix jours à vous répondre. C'est curieux, vous ne trouvez pas, qu'il ait tellement tardé avant de répondre à la première lettre de sa correspondante. Il eût été plus naturel qu'il vous écrive sa réponse le jour même. Et on constate qu'il y a deux semaines d'écart entre le moment où il reçoit votre deuxième lettre et celui où il vous écrit sa troisième lettre. C'est bien étrange. Troisième raison. Je trouve curieux qu'il donne pour adresse "Chez M. Hino". Ne pourrait-on pas faire l'hypothèse suivante ?... On a un homme. Il est actuellement sous les verrous dans une région qui ne correspond pas au code postal d'Abashiri. Mais il doit sortir fin juillet, et il est en train d'organiser son retour à la vie civile. Un jour, il lit dans la revue *Voyage et Histoire* disponible en prison, qu'une jeune OL débutante est à la recherche d'un guide pour son voyage à Hokkaidô. "Très bien, se dit-il, je vais correspondre avec cette fille et nous allons sympathiser. Dès ma sortie, j'irai à Tôkyô, je la retrouverai à la gare d'Ueno, et je la guiderai dans ma région. Puis nous aurons des relations sexuelles, et ensuite je la pousserai à dépenser de l'argent pour moi. Mais le problème qui se pose, c'est comment correspondre avec elle sans qu'elle s'aperçoive que je suis en prison." Soudain, il a une idée et il se dit : "Ah oui ! je vais demander à mon ami Hino qui habite à Abashiri, de jouer un rôle dans l'affaire. Quand il viendra me rendre visite, je lui demanderai d'écrire à cette fille à ma place et de poster la lettre. Et quand mon ami recevra la réponse, je lui demanderai de venir me voir. Et je lui ferai lire la lettre de la correspondante au cours de sa visite avant de lui indiquer ce qu'il doit répondre. Dès son retour chez lui, Hino écrira exactement les mots que je lui aurai dictés." Et il s'est dit : "Bien, je vais essayer comme ça." Qu'en pensez-vous, Hiroko, vous ne croyez pas que mon histoire est possible ? »

Je n'arrive pas à croire que vous ayez manigancé une chose aussi terrible. Mais je ne suis pas sûre non plus de pouvoir affirmer de façon catégorique : M. Nishimura s'est complètement trompé. Car je ne vous connais pas encore très bien… Mais je prie pour que les déductions de M. Nishimura soient fausses.

Hiroko Motomiya

P.-S. : Merci de me communiquer le numéro de téléphone de votre administration ainsi que de l'endroit où vous habitez. J'aimerais entendre votre voix…

14

Le 15 juillet

Hiroko Motomiya,

Le mec silencieux, ce M. Nishimura assis en face de toi, est brillant à ce que je vois. J'en suis resté sur le cul : il a tout deviné. Je suis en effet le type dont il a parlé, il a parfaitement pigé ce que je manigançais. Quand tu as écrit « merci de me communiquer le numéro de téléphone de votre administration, etc. », tes intentions étaient claires comme de l'eau de roche. Tu voulais téléphoner pour vérifier que je n'étais pas en cabane, mais je n'ai pas marché. Sur ce, j'ai décidé de me retirer. Salut.

Kenichirô à Abashiri

15

Ma petite Sachi,

Nous venons d'arriver dans l'auberge de jeunesse de Hakodate, et je m'apprête à passer ma première nuit à Hokkaidô. Mais ne va pas te faire des idées, je dormirai évidemment dans une autre chambre que M. Nishimura. A propos, je t'ai tout raconté… qu'il avait clairement deviné les mauvaises intentions de Kenichirô Sakai, et qu'il avait été décidé qu'il me guiderait à sa place car il connaît bien la région, étant originaire de la ville de Kitami à Hokkaidô.

Eh bien… je ne sais pas où j'avais la tête. Quand j'ai appris que M. Nishimura était de Kitami, j'aurais dû deviner qu'il s'agissait d'un coup monté. Or, avant de voir son carnet, je ne m'étais rendu compte de rien, absolument rien du tout. Qu'est-ce que j'ai été bête !

En fait, nous sommes allés à Esashi dans l'après-midi. Puis nous avons eu envie de nous arrêter à l'heure du goûter pour manger un *ramen* froid dans un bistrot en face de la gare, et après avoir commandé les plats, M. Nishimura est allé aux toilettes. Pendant son absence, ses affaires, qu'il avait posées sur une chaise, sont tombées par terre dans l'entrée. Il était normal que je ramasse le carnet, le savon et le tas de lettres qui avaient glissé de son sac à dos. Mais toutes ces lettres étaient celles que j'avais écrites à Kenichirô Sakai, mon correspondant. Je n'en revenais pas ! Et en plus, imagine un peu, quand j'ai regardé dans son agenda, j'ai bien lu le nom de « Kôichi Hino ». L'adresse indiquée était 6-7 Mogin,

Abashiri-shi, et j'ai lu aussi dans la colonne Travail :
« Camarade de classe du lycée Kitami – Marché au
poisson de Abashiri ».

J'ai soudain compris. Eh oui, Kenichirô Sakai était
Mitsutaka Nishimura ! A l'heure du déjeuner, je
lisais souvent *Voyage et Histoire*. Quand ma petite
annonce est parue dans la revue, il m'arrivait de la
laisser sur mon bureau, la page marquée par un bout
de papier. Il l'a lue, et il s'est ensuite proposé pour
devenir mon correspondant en prenant comme intermédiaire son meilleur ami de la ville d'Abashiri.
Voilà pourquoi les réponses de Kenichirô Sakai mettaient toujours autant de temps à me parvenir. Car les
lettres suivaient l'itinéraire suivant : moi – M. Hino
d'Abashiri – Nishimura dans son dortoir de Tôkyô –
M. Hino d'Abashiri – moi. Il était inévitable que les
réponses de Kenichirô Sakai (c'est-à-dire de Nishimura) à mes lettres me parviennent si tardivement.
Voilà tout.

Mais tu ne trouves pas qu'un homme comme
Nishimura a fait preuve d'habileté en se servant de
Kenichirô Sakai pour vanter ses mérites ?

Je te vois venir, tu vas me demander pourquoi il
s'y est pris de manière aussi compliquée. Eh, eh, eh,
qui sait s'il ne serait pas un peu amoureux de moi ! Il
faut reconnaître qu'il n'a pas la parole facile, et
encore moins quand il est face à moi. Il a donc utilisé
Kenichirô Sakai pour m'inciter à l'inviter à déjeuner
avec moi. Et quand j'ai compris, je n'ai pu m'empêcher d'en avoir le cœur serré…

Mais, ma petite Sachi, j'ai l'intention de faire semblant de ne pas comprendre que M. Kenichirô Sakai
est Nishimura. Je n'ai pas envie qu'il se sente gêné,
et de mon côté j'ai moi aussi menti sur plusieurs
points, en lui disant par exemple que j'étais la nièce

du PDG, et la meilleure chose à faire maintenant est de continuer à feindre l'ignorance, tu ne crois pas ? Mais je te raconterai. A bientôt.

Hiroko Motomiya
Hakodate

V

LE TEMPLE N° 30 ZENRAKU-JI

1

Le 31 mars 1977

Aux employés du Pavillon Midori,
établissement pour handicapés physiques
de la préfecture de Kôchi

Permettez-moi tout d'abord de me présenter. Je suis un employé du dortoir Kinshi (directeur M. Keitarô, Hanayama 1-6 Kinshi, Sumida-ku, Tôkyô-to[1]), un centre d'hébergement qui accueille certaines personnes pendant la période du Nouvel An ou d'autres pour tout l'hiver. Tous ceux qui liront cette lettre travaillent dans un établissement public d'aide sociale, mais je ne pense pas qu'ils connaissent l'existence de notre dortoir Kinshi. Car, pour le moment, on ne trouve ce genre d'établissement que dans la capitale.

Chaque année, pendant les fêtes de Nouvel An, le travail proposé aux journaliers diminue considérablement à cause de la fermeture des entreprises. Le rôle de notre dortoir Kinshi est donc d'accueillir en cette période ces gens sans travail qui n'ont même pas assez d'argent pour dormir dans un modeste foyer et encore

_____
1. *–ku* indique l'arrondissement, *–to*, la capitale.

moins pour manger trois fois par jour. Mais ce ne sont pas seulement les travailleurs qui viennent chez nous, nous voyons aussi arriver beaucoup de fugueurs, et les pensionnaires installés ici ont trouvé un endroit où se reposer pour reprendre des forces morales et physiques. Ceux qui ont besoin de traitements médicaux sont soignés à l'hôpital. En outre, un certain nombre d'entre eux suit des formations de toutes sortes afin de se donner une chance de réinsertion. Cependant, le manque de crédits nous contraint à ouvrir uniquement entre le mois de décembre et la fin du mois de mars, et nous regrettons d'être obligés de fermer ensuite. Avec de l'argent, nous pourrions rester ouverts toute l'année pour les personnes en difficulté qui ne savent où aller.

J'ajoute rapidement qu'il s'agit d'un établissement privé. Notre bâtiment est un vieil immeuble de logements réhabilité, qui compte sept pièces, et nous permet d'accueillir trente personnes au maximum. Nous sommes huit employés, principalement des étudiants. Bien qu'il y ait parmi nous des exceptions, comme moi qui travaille de décembre à mars dans ce dortoir Kinshi, et le reste de l'année dans un centre provisoire pour clochards.

Je vais maintenant vous faire part du véritable motif de ma lettre. Pour tout vous dire, nous cherchons quelqu'un. Il s'appelle Toshio Furukawa. Age : 41 ans, taille : 1 m 65, poids : 68 kg, c'est un homme assez gros. Il a eu les membres brisés dans un accident de voiture il y a deux ans, et depuis, il boite. A la suite de cet accident, il porte aussi des cicatrices au front et à la joue droite. M. Furukawa a été transporté dans notre dortoir le 15 janvier 1976. On l'avait trouvé dans la rue à Asakusa[1]. A son arrivée chez

---

1. Quartier populaire de Tôkyô, près du temple Sensô-ji.

nous, il pouvait à peine marcher en se tenant aux murs et aux tables. Les deux premières semaines, il s'est appliqué à tenter de récupérer des forces physiques, et ensuite nous l'avons aidé, grâce à des exercices, à retrouver la mobilité de ses membres. J'ai alors pensé que le dessin serait peut-être un bon moyen de l'aider à retrouver l'usage de ses mains. M. Furukawa avait toujours un visage inexpressif et il ne parlait pratiquement pas. Mais il aimait beaucoup regarder des tableaux. Nous n'en avons aucun d'une quelconque valeur car notre établissement n'est pas riche. Tout juste avons-nous fixé aux murs les reproductions de tableaux célèbres que l'on trouve dans les calendriers. Mais, quand on n'intervenait pas, M. Furukawa pouvait rester assis à les contempler pendant une heure et parfois deux heures.

Un jour, j'ai pensé : Et si j'essayais de lui mettre un crayon entre les doigts. S'il faisait des dessins… Ses mouvements pourraient accélérer un tant soit peu le processus de récupération d'une main.

Je suis sorti acheter immédiatement un crayon 4B et une vingtaine de feuilles à dessin, puis je les ai étalées devant lui. Dès qu'il les a vues, il a essayé de saisir le crayon, tremblant de tout son corps. Lui qui n'avait jamais rien réclamé ni fait le moindre geste volontairement prenait pour la première fois l'initiative de vouloir s'emparer de quelque chose. J'étais ému. Puis j'ai calé le crayon entre son pouce et son index.

Au début, il lui fallait toute une journée pour faire un dessin. Et quand le dessin était terminé, ce n'était pour nous qu'un enchevêtrement de lignes qui partaient dans tous les sens si bien qu'on ne savait pas ce qu'il représentait. Mais, après une quinzaine d'exercices de ce genre, il s'est mis à dessiner plus vite et de mieux en mieux pour finir par rendre un travail exécuté de manière remarquable. Et à la fin du mois de mars, il avait produit quatre-vingt-treize dessins. Je vous en ai glissé un dans l'enveloppe, et j'aimerais que vous le regardiez pour constater à quel point il maîtrise la technique du dessin.

Et tandis qu'il progressait dans le dessin, son mutisme qui nous semblait si pesant commençait à se dissiper. Il nous a d'abord raconté, par bribes, qu'il dirigeait auparavant une société de panneaux publicitaires de rues, et lui-même dessinait des affiches de cinéma. Il nous a dit qu'après l'accident, il était allé se reposer dans un établissement, puis, avant d'être transporté chez nous, il ramassait les vieux papiers malgré ses difficultés physiques, et la nuit il dormait dans des foyers de Sanya[1]. Et pendant qu'il se confiait à nous, ses bras et ses jambes retrouvaient une mobilité presque normale.

Mais avec la fermeture de notre établissement le 31 mars de l'année dernière, M. Furukawa a dû nous quitter et il est parti pour le Pavillon d'Etchûto, un foyer public d'aide sociale à Kôto-ku toujours à Tôkyô. Le jour de son départ, je lui ai offert des tubes de peinture, des pinceaux, une palette et un cahier de croquis. Or, il a subitement disparu de ce foyer au mois de juin après nous avoir laissé le message suivant :

« Je pars à Shikoku faire le pèlerinage des quatre-vingt-huit lieux sacrés sur les traces de Kûkai[2]. Je

---

1. Quartier de la capitale surnommé « rues des hôtels populaires bon marché » fréquenté par les journaliers pauvres et où l'on trouve des buvettes pas chères.

2. Moine japonais qui a introduit le Mikkyô (doctrine secrète du bouddhisme indien) au début du IXe siècle, à son retour d'un voyage en Chine. Fondateur de l'école Shingon-shû, « la véritable parole ».

compte vous revoir en décembre au dortoir Kinshi. Bonjour à tous. »

Le 1er décembre, le dortoir a de nouveau ouvert ses portes. Nous avons acheté des tubes de peinture et des feuilles de dessin en attendant son retour. Mais en ce jour du 31 mars, nous n'avons toujours pas eu de ses nouvelles. Et nous nous demandons ce qu'il est devenu. Et s'il était tombé quelque part sur le circuit du pèlerinage des quatre-vingt-huit temples ? Nous commençons à être inquiets. C'est pourquoi nous nous sommes partagés la tache entre employés afin d'envoyer des lettres dans tous les établissements pour handicapés physiques ou d'aide sociale du Shikoku. Et c'est sur moi qu'est tombée la préfecture de Kôchi. Les personnes qui travaillent dans les établissements de cette région n'ont vraiment pas de chance car ils sont obligés de lire une lettre aussi longue. Mes camarades ont dû envoyer un courrier simple et efficace.

Quoi qu'il en soit, je voudrais savoir si quelqu'un a entendu parler de M. Toshio Furukawa. Qui sait s'il ne se trouve pas dans votre établissement ? Je suis désolé de vous déranger dans vos occupations, mais l'un d'entre vous connaît-il une personne susceptible de me donner des nouvelles de M. Furukawa, et si c'est le cas, pourrait-il m'en informer par un mot au centre d'hébergement provisoire des clochards d'Ueno ? Je vous en serai reconnaissant.

Yasuji Hiraman

2

Monsieur Yasuji Hiraman,
Soyez rassuré. M. Toshio Furukawa est parmi nous.

Un employé du Pavillon Midori m'a téléphoné hier midi pour m'informer qu'ils avaient reçu une lettre provenant d'un établissement à la recherche de ce monsieur, et il m'a demandé si son nom me disait quelque chose. Car, chez eux, personne ne correspondait à son signalement…

Ensuite, il m'a lu au téléphone ce que vous aviez écrit. Je suis quelqu'un de très émotif, c'est pourquoi on me surnomme « Fumi la Pleureuse », et tandis que j'écoutais l'employé du Pavillon Midori me lire votre lettre, je me suis mise à pleurer. J'étais tellement émue de découvrir qu'il existait des gens aussi soucieux du sort d'un handicapé.

Nous n'avions pas reçu de lettre de votre part. Ce qui est tout à fait normal, puisque notre atelier communautaire de l'Hirondelle a ouvert ses portes il y a seulement six mois et qu'en outre il est privé. Il ne figure pas dans l'annuaire des établissements publics d'aide sociale ou pour handicapés physiques. Personne ne pouvait savoir que nous existions, vous n'aviez donc aucun moyen de nous connaître… Je vais vous parler un peu de notre atelier. Trois rivières se jettent dans la baie d'Urado de la ville de Kôchi : la Kagamigawa qui vient de l'ouest, la Kumagawa qui descend du nord, et la Kokubugawa arrivant de l'ouest. A environ quatre kilomètres de l'embouchure de la Kokubugawa, on trouve notre maison sans étage bâtie sur un terrain d'une centaine de mètres carrés dans un endroit résidentiel. C'est une maison ordinaire, tout à fait dans la norme de celles du quartier. Au centre, il y a le séjour de six tatamis, à gauche une pièce de quatre tatamis et demi, à droite une autre de six tatamis, et le reste de la maison est composé de la cuisine, des toilettes et d'une salle de bains. La seule petite particularité est la dépendance en préfabriqué de huit tatamis construite sur le terrain en friche, et qui est en fait le « bâtiment principal » de notre atelier communautaire. Neuf handicapés physiques fabriquent des pinces à linge du matin au soir. Mon rôle consiste à prendre des commandes auprès des supermarchés, des grands magasins et des bazars de la ville pour les fournir en pinces à linge, de calculer les ventes et les salaires du personnel, de préparer les repas du midi et du soir, et si je vous dis que je suis à la fois chargée de la vente, de la comptabilité et des repas, vous comprendrez en quoi consiste mon travail. Ce qui me demande le plus d'efforts est le déjeuner. Cinq des personnes qui travaillent ici habitent à l'extérieur et quatre logent sur place. Mais tout le monde est présent à l'heure du déjeuner. Autant dire que c'est le repas le plus important, et je m'applique dans la cuisine à leur préparer de bons plats. Cependant, j'évite ceux qui nécessitent l'utilisation de baguettes, car les neuf sont des handicapés. C'est pourquoi je fais la plupart du temps du riz au curry, du *harashi-rice*[1], du riz cantonnais, du riz pilaf, du *omurice*[2], etc. En bref, tout ce qui peut se manger avec une cuillère.

Nous sommes deux salariés. Avec moi travaille M. Tachibayashi qui est notre chef. Son rôle consiste

---

1. Sorte de pot-au-feu accompagné de riz.
2. Riz avec des œufs en omelette.

à livrer les pinces à linge chez les clients ou à faire le tour des bureaux d'aide sociale, des services de la mairie et de la préfecture. Nous sommes les deux seules personnes valides (des personnes ordinaires en un mot). C'est ce monsieur Tachibayashi qui a ouvert l'atelier. Il est aussi propriétaire de la maison. Au mois de mai de l'année dernière, il étudiait encore dans une université de Tôkyô quand ses parents ont été tués dans un accident de voiture. Il est rentré précipitamment dans son pays natal, mais il n'est pas retourné à l'université et a soudain décidé d'ouvrir cet atelier.

Il a expliqué dans un journal local quelles étaient ses motivations : « Je ne supporte plus de voir les handicapés vivre leur précieuse vie comme si c'était quelque chose d'accessoire, en comptant sur la pitié de ceux d'en haut et en supportant leur domination. C'est l'indépendance qu'il faut rechercher avant tout, et il est primordial que les handicapés subviennent eux-mêmes à leurs besoins grâce à leur travail personnel. Ainsi, ils auront confiance en eux, et ils seront vraiment fiers de vivre. Je voudrais les y aider. Autre point : qui sait si je ne serai pas moi-même un jour un handicapé, à la suite d'un accident par exemple. Voilà pourquoi j'ai voulu créer un atelier comme celui-là. J'aimerais me dire "ah, comme j'ai envie de faire partie de cet établissement, et d'y travailler. Là au moins, je pourrai vivre sans implorer la pitié des gens". »

J'étais alors vendeuse dans le plus grand magasin de Kôchi[1] au rayon des kimonos, et ses paroles m'ont beaucoup frappée. Même dans cette ville, il y a pas mal de riches, et on voit deux ou trois clients par jour

_____

1. Ville industrielle et portuaire de l'île de Shikoku.

acheter comptant et en espèces des kimonos qui coûtent plus de cent mille yens[1] pièce. En tant que vendeuse de ce grand magasin, j'étais évidemment très reconnaissante à ces personnes, pourtant j'avais parfois la tête et le cœur vides. Ce n'est pas que je veuille m'en vanter, mais je suis la troisième fille d'un couple de paysans pauvres. Mes parents passent leur vie courbés dans les champs à faire pousser des légumes, couverts de sueur et de boue. Ils ne gagnent même pas l'équivalent de quelques kimonos de luxe. Je suis bien incapable de comprendre ce qui est compliqué, mais chaque fois que je vendais un kimono, je me disais « Mais c'est quoi, cette société ? »

Et je pensais aussi : « Si je continue à travailler dans un endroit pareil, je vais devenir folle. » J'imagine que ma réaction vient du sentiment d'infériorité d'une fille pauvre, mais je n'arrivais pas à dire « merci beaucoup » avec sincérité. Et quand je parvenais à remercier, c'étaient seulement les mots qui sortaient de ma bouche, car je commençais à éprouver secrètement de l'antipathie pour les clients. J'aurais tant aimé travailler dans un lieu où je pourrais dire « merci » du fond du cœur. Voilà pourquoi les paroles de M. Tachibayashi ont résonné en écho dans mon cœur. Et le lendemain du jour où j'ai lu cet article, je suis arrivée ici. Le salaire est le même pour tous, et bien qu'il varie d'un mois sur l'autre, il est en moyenne de quinze mille yens. Il correspond au cinquième de ce que je gagnais au grand magasin. Mes parents qui comptaient en partie sur mon salaire pour les aider à vivre avaient un air un peu triste au début, mais cela n'a pas duré longtemps, et à présent ils ne disent plus rien. Et puis tous les jours je peux prononcer ces mots « merci

_____
1. Environ cinq mille francs.

beaucoup » du fond du cœur à l'adresse des clients commerçants qui exposent nos pinces à linge à l'entrée de leur magasin.

Mais je ne parle que de moi. Ce M. Toshio Furukawa que vous recherchiez travaille dur chez nous. Il fabrique quotidiennement deux cent cinquante pinces à linge environ, sans presque jamais dire un mot. Et sur les neuf handicapés de l'atelier, sa production atteint la troisième position.

Hier soir, quand je lui ai demandé avant de partir : « Vous vous souvenez de M. Hiraman du dortoir Kinshi à Tôkyô ? », il m'a tout juste répondu « oui » avec un léger signe de tête. Ne soyez pas vexé cependant. Comme vous le savez, il est toujours ainsi. Bon, pour ce soir je dois terminer cette lettre, mais je vous confirme cette nouvelle : M. Furukawa va bien.

Fumiko Murano

3

Le 11 avril

Mademoiselle Fumiko Murano,

Je viens de recevoir votre lettre qui m'a fait tellement plaisir. Merci beaucoup. Je suis soulagé de savoir M. Furukawa en bonne santé. Mais comment est-il arrivé chez vous ? Si vous pouviez me le dire quand vous aurez un moment de libre, je vous en serais reconnaissant.

Je sais très bien que je devrais vous écrire beaucoup plus longuement pour vous exprimer toute notre gratitude, mais je suis si content que j'ai envie de crier de joie. Et je ne suis pas en état de rester assis à un bureau

un stylo à la main. J'espère que vous me comprendrez.
Mais je vous remercie infiniment.

Yasuji Hiraman

4

Le 6 mai

Monsieur Yasuji Hiraman,
Dans ma lettre précédente, j'ai en effet oublié de
vous raconter comment M. Furukawa s'était retrouvé
parmi nous. J'ai apparemment ce défaut d'être trop
bavarde et d'en oublier de dire l'essentiel. Il faudrait
que je me corrige. Je vous prie de m'en excuser.

Un matin à la fin du mois d'octobre dernier, j'étais
descendue comme d'habitude à la gare de Tosaikku
sur la ligne Tosa, et j'ai pris à pieds la direction du
temple Zenraku-ji. L'atelier communautaire de
l'Hirondelle se trouve à l'autre bout de ce temple.

A ce propos, les gens parlent en général des
« quatre-vingt-huit lieux sacrés de Shikoku », mais
saviez-vous qu'en réalité, il y en a plutôt quatre-
vingt-neuf ? Car deux de ces temples disent être le
lieu sacré n° 30. Je vais vous raconter ce que m'a
expliqué mon père : autrefois le grand moine
Kûkai fit construire le temple Zenraku-ji qui était
un temple bouddhiste dans un sanctuaire shintoïste
de la ville d'Ichinomiya à Tosa, et qui devint plus
tard le trentième lieu saint accueillant des millions
de pèlerins. Mais en l'an 3 de l'ère Meiji[1], à la
suite du mouvement anti-bouddhique *Haibutsu*

---

1. 1871.

Kishaku[1], le Zenraku-ji fut déserté. Le bouddha Amida Nyûrai[2] qui était le bouddha principal, ainsi que la statue du grand moine Kûkai et le trésor du temple furent transférés dans le temple national Kokubun-ji n° 29. Mais par la suite, quand l'oppression des bouddhistes commença à s'atténuer, la statue du bouddha principal Amida Nyôrai fut déplacée dans le temple Anraku-ji de la ville de Kôchi en l'an 9 de Meiji, et cet endroit devint le lieu sacré n° 30 à titre provisoire. Or, en l'an 4 de l'ère Shôwa[3], le supérieur du Zenraku-ji fit de nouveau transférer dans son temple, puis restaurer, la statue du Grand Moine et le trésor qui avaient été confiés au Kokubun-ji. Naturellement, le supérieur du Anraku-ji reçut un nombre incalculable de fois des demandes provenant de son homologue du Zenraku-ji qui réclamait la restitution du bouddha principal. Mais, comme il s'y refusait, la tension était vive entre eux deux. Et c'est seulement en l'an 17 de l'ère Shôwa que les personnes concernées réussirent à prendre ensemble la décision suivante : « Le Supérieur du Anraku-ji restituera le nom du lieu sacré n° 30 au Zenraku-ji dans les trois années qui viennent. Et à cette occasion, le Anraku-ji qui abrite le bouddha principal Amida Nyûrai deviendra le sanctuaire intérieur du lieu sacré n° 30. »

En résumé, on peut dire que les pèlerins ne s'y retrouvaient pas bien avec deux temples n° 30. Les lieux sacrés du Shikoku doivent axer leur pèlerinage

---

1. Oppression et rejet du bouddhisme par le gouvernement.
2. Autre appellation d'Amida Butsu, bouddha le plus important du grand véhicule.
3. 1930.

« sur les traces de Kûkai », et c'était une raison de plus pour restituer le bouddha principal au Zenraku-ji, vous ne croyez pas ? Mais cette décision prise en commun n'a finalement pas été mise en pratique en cette période troublée de l'après-guerre. Voilà pourquoi il existe toujours deux temples sacrés n° 30. Et dans ces lieux saints, on sait bien que l'argent coule à flots, notamment grâce aux pièces lancées par les pèlerins...

Selon mon père, le supérieur du Anraku-ji ne voulait certainement pas abandonner sa source de revenus au profit du Zenraku-ji, mais c'est en tout cas une erreur de parler des « quatre-vingt-huit lieux sacrés du Shikoku », il faut dire : « quatre-vingt-neuf ».

Bref, je m'apprêtais à traverser le jardin du Zenraku-ji pour arriver plus rapidement à mon travail. C'est alors que j'ai vu quelqu'un tomber par terre la tête la première devant moi, sous le panneau du Hondô[1] portant l'inscription « Le grand moine Kûkai ». Je me suis approchée craintivement de ce pèlerin – c'est ainsi que je l'appelle, et pourtant il ne portait ni le chapeau en jonc typique ni le bâton symbolisant l'un des mondes du Mikkyô ni les vêtements blancs, mais seulement un petit porte-billets suspendu autour du cou et un cahier de croquis crasseux avait glissé de sa main étendue sur le sol.

Un vent fort s'engouffrait dans les pages du cahier qui claquaient. Je me suis baissée pour le ramasser et en le feuilletant j'ai découvert les croquis des Hondo de célèbres lieux sacrés, du premier au vingt-neuvième temple. Je suis alors partie en courant chercher M. Tachibayashi. Et nous avons transporté cet étrange pèlerin jusqu'à notre atelier. Inutile d'ajouter

---

1. Bâtiment principal d'un temple bouddhiste.

qu'il s'agissait évidemment de l'homme que vous recherchiez.

Je voudrais maintenant vous présenter mes excuses pour avoir tant tarder à vous répondre. Je n'essaie pas de me justifier, mais ces derniers jours notre atelier communautaire de l'Hirondelle était en ébullition, et tous les soirs, nous discutions jusqu'à une heure tardive, si bien que je n'avais plus un moment pour écrire et encore moins pour dormir tellement j'étais occupée.

Toute cette agitation est due à la remise en cause de notre système de rétribution à l'atelier. Pendant près d'un an, notre devise était « le partage à égalité », et qui consistait à répartir en parts égales les bénéfices du mois précédent entre les neuf handicapés et les deux employés, en les distribuant le 10 de chaque mois. Or, les trois handicapés légers ont commencé à dire que « le partage n'était pas équitable », qu'eux-mêmes fabriquaient respectivement dix mille pièces environ par mois… tandis que d'autres n'en produisaient que mille à peine… et que dans ces conditions, ils en avaient assez de travailler.

Voilà pourquoi ils protestent. M. Tachibayashi a été choqué, je crois, par leur revendication. Notre chef avait lancé ce mouvement communautaire avec l'idée que cet atelier de l'Hirondelle représentait en quelque sorte une communauté des destins, et que la question de la répartition n'avait au fond aucune importance, l'essentiel étant que tous rassemblent leurs forces pour permettre à chacun de manger. Finalement, les handicapés lourds ont cédé et nous sommes arrivés à un accord.

Je vous répète ci-dessous ce que ces derniers ont dit aux handicapés légers : « Vous avez raison, nous, les handicapés lourds, nous dépendions de votre travail.

Nous avions décidé de participer à ce mouvement communautaire parce que nous ne voulions pas implorer la pitié des autres, mais au fond nous faisions appel à votre compassion. Ce n'est pas bon. Soyons désormais payés au rendement. Nous pourrons ainsi toucher une commission à la pièce. Et tout le monde donnera une part de son salaire à M. Tachibayashi et à Mlle Fumiko. »

Je me demande si ce système va bien fonctionner. M. Tachibayashi n'en est pas certain non plus. Quant à M. Furukawa, il n'a toujours pas prononcé un mot. Il se contente d'écouter en silence nos discussions. Je vous ai imité et lui ai offert des crayons avec du papier à dessin. Mais il ne dessine pas du tout. Décidément, il n'arrive que des choses tristes en ce moment. A ce propos, connaissez-vous le domicile légal de M. Furukawa et ses antécédents ? Car, en l'absence de ces informations, il ne peut recevoir les différentes allocations qui devraient lui être versées par l'Etat.

Fumiko Murano

5

Le 11 mai

Mademoiselle Fumiko Murano,

Quand j'ai su que vous comptiez modifier votre système de répartition des bénéfices en abandonnant le « salaire identique pour tous » au profit du « salaire au rendement », j'ai trouvé cela plutôt inquiétant. Si vous adoptez cette deuxième solution, qu'allez-vous devenir, vous et M. Tachibayashi qui n'êtes pas des handicapés ? Vous ne fabriquez pas

111

une seule pince à linge, par conséquent, vous ne toucherez rien naturellement. Vous me dites que les handicapés se proposent de vous payer sur une part de leur revenu. Mais ce n'est pas sain. C'est un peu comme si vous deveniez des employés de maison, vous ne croyez pas ? Moi, je ne suis qu'un employé de bureau qui se contente en quelque sorte de distribuer l'argent du soi-disant Etat-providence en me conformant aux ordres d'en haut. Je suis donc mal placé pour faire de grands discours, mais je trouve qu'il y aurait là quelque chose d'injuste.

Vous me demandez si j'ai des informations sur le domicile légal et les antécédents de M. Furukawa mais je ne sais rien. Comme je l'ai écrit dans la lettre que j'avais envoyée au Pavillon Midori, ce monsieur ne nous a donné que quatre indications :

1. Il dirigeait une société de panneaux publicitaires de rues.

2. Il a eu un accident de voiture.

3. Il a été soigné dans un établissement dont on ignore le nom.

4. Il ramassait les vieux papiers à Asakusa.

Et qui peut dire que Toshio Furukawa n'est pas un nom d'emprunt ? On n'en sait rien. Je vais essayer de demander à la police de toute la région s'ils n'ont pas ce nom parmi les responsables ou les victimes d'accidents de voiture des années précédentes. Et même s'il a donné son vrai nom, c'est un gros travail, vous l'imaginez bien. Cependant, je vais m'en occuper, il le faut… Mais pourquoi ne parle-t-il pas ?

Yasuji Hiraman

Le 20 mai

Monsieur Yasuji Hiraman,

Aujourd'hui, il nous est arrivé une chose incroyable. M. Furukawa a parlé ! Je vais m'efforcer de garder mon calme pour vous raconter en détail ce qu'il a dit.

Depuis que nous avons adopté le système du salaire au rendement, notre atelier communautaire de l'Hirondelle marchait de moins en moins bien. Les handicapés légers ont commencé à passer tout leur temps à fabriquer des pinces à linge en sautant aussi l'heure du déjeuner. Certains se sont même mis à travailler la nuit pour toucher le plus de commissions possible à la pièce. Et avec l'heure du déjeuner, le moment de détente qui suivait jusqu'à la reprise du travail à 13 heures, et qui était le moment le plus gai de la journée, s'est lui aussi volatilisé. Ils restaient tous collés à leur table de travail pour améliorer leur rendement. Et en effet la production de pinces à linge a augmenté. Mais en contrepartie, il s'est mis à régner dans l'atelier une ambiance aussi froide qu'un bloc de glace.

Peu après, il s'est produit une chose étrange. La production des handicapés lourds a commencé à baisser considérablement. Ils nous ont dit : « Nous sommes des bons à rien. De toute façon, nous ne pourrons jamais rivaliser avec les handicapés légers. » Et c'est ainsi que le défaitisme est apparu chez les handicapés lourds. Puis ils ont continué : « Mais ça ne fait rien. Nous vivrons avec les allocations d'aides publiques. »

Ces handicapés ont fini par cesser de travailler et, au bout d'une heure à peine, ils allaient s'installer dans le salon devant la télévision et passer le temps sans rien faire. Avec M. Tachibayashi, nous avons pensé qu'il fallait réagir. Mais que pouvions-nous faire dans une telle situation ? A midi, aujourd'hui, quand je suis entrée dans l'atelier en précisant : « Je vous ai fait du curry. Votre menu préféré à tous. Et avec du porc pané en plus ! », un handicapé léger a prononcé les mots suivants : « Tu ne pourrais pas me l'apporter ici ? Je voudrais continuer de travailler, je mangerai en même temps. »

J'ai insisté en répliquant : « Détends-toi donc pendant l'heure du repas au moins... Que dites-vous de manger tous ensemble comme cela ne nous est pas arrivé depuis longtemps ? »

Mais un autre handicapé léger est intervenu : « Nous ne sommes pas comme ceux du salon, nous. Notre vie dépend de notre travail... Je vais manger mon curry ici. »

Alors, celui qui avait parlé le premier a dit : « Il a raison... Allez, je fais pareil moi aussi. »

Je m'apprêtais à partir quand M. Furukawa qui était jusque-là absorbé dans la fabrication de ses pinces à linge s'est mis à hurler : « Imbéciles ! Vous n'êtes pas les seuls dont la vie dépende du boulot. Tout le monde est dans le même cas, qu'est-ce que vous croyez ? Vous parlez de salaire au rendement pour de simples pinces à linge. Vous me faites rigoler ! »

Il tremblait tellement qu'il s'est agrippé à une table, mais il a fini par la renverser. Et le plus vigoureux des handicapés a voulu le frapper en criant : « Espèce de... ! »

Mais M. Furukawa a grondé : « Je vais te tuer... J'ai écrasé quelqu'un avec ma voiture. Je suis devenu comme ça après l'accident, et j'ai oublié combien de fois j'ai essayé de me suicider pour me faire pardonner de la victime. Ça tombe bien, je vais te tuer et je mourrai avec toi. »

Alertés par le bruit, les handicapés lourds sont venus voir ce qui se passait. M. Tachibayashi n'était pas encore rentré de ses livraisons, et je me demandais avec inquiétude comment calmer la situation. Mais je restais clouée sur place.

« Et d'abord, a continué M. Furukawa, c'est ridicule de parler pour nous de salaire au rendement. Dans notre cas, ce n'est pas un problème d'efficacité. Une personne qui a fabriqué dix pinces à linge en versant une goutte de sueur et une autre qui en a fabriqué une en versant une goutte de sueur ont fait le même travail. Vous ne pourriez pas comprendre ça, vous autres ? D'après moi, les bénéfices mis en commun doivent être partagés à chaque fois en fonction des besoins, et non pas selon le rendement de chacun, ou en parts égales. Ceux qui bénéficient d'allocations et qui peuvent compter sur une famille solide prendraient un peu, ceux qui auraient absolument besoin de trois mille yens pour les aider à vivre en expliqueraient la raison aux autres et prendraient les trois mille yens. C'est ce qu'il y a de mieux, il n'y a pas d'autre solution. Tout le monde protège tout le monde, nous ne pouvons pas vivre autrement, nous. Qu'est-ce que ça veut dire de se mettre dans des états pareils, on dirait une bande de mioches… Et les autres qui prennent tout de suite une mine de chiens battus… Imbéciles ! »

Ensuite M. Furukawa s'est accroupi et il s'est mis à pleurer, puis tout le monde est parti d'un air abattu vers le bâtiment principal.

Je l'ai aidé à se relever en lui demandant pourquoi il n'avait pas parlé de son idée au moment où nous

nous demandions si nous allions adopter le système de salaire au rendement.

Et voilà ce qu'il m'a répondu : « Quand j'ai écrasé cette femme, je conduisais ma voiture en état d'ivresse, et en plus, je bavardais avec l'ami qui était assis à côté de moi. J'ai donc décidé de ne plus boire d'alcool et de ne plus jamais parler, pour essayer de réparer ma faute. Mais je viens de parler… »

Puis ses lèvres se sont à nouveau refermées comme un coquillage. Je n'ai donc pas pu savoir quand et où il avait provoqué cet accident. Mais il est certain que ses paroles ont sauvé de la crise notre atelier communautaire. J'ai dit « merci » en cachette au lieu sacré n° 30. Si M. Furukawa ne s'était pas écroulé par terre au Zenraku-ji…

Fumiko Murano

VI
REQUIEM

1

Le 18 janvier

Monsieur Keiichirô Nakano,
Veuillez m'excuser d'avoir pris la liberté de vous envoyer sans prévenir la lettre suivante. Je suis une étudiante de vingt et un ans en lettres dans une université de filles à Tôkyô et je voudrais devenir auteur dramatique. Aux dernières vacances du Nouvel An, j'ai terminé une petite pièce d'un peu moins de vingt pages d'après la courte nouvelle d'un écrivain. Au début, je n'étais pas sûre de moi, mais en la relisant une semaine plus tard, j'ai commencé à trouver que ce n'était pas si mal, même si beaucoup de passages restent médiocres. L'une de mes camarades de classe écrit des pièces elle aussi. Quand je lui ai proposé de lire la mienne, elle l'a emportée en me disant que c'était peut-être un chef-d'œuvre. Et elle m'a demandé l'autorisation de la montrer au club de théâtre de notre école.

Aujourd'hui, j'ai reçu la réponse de la responsable du club qui m'écrit : « Comme les personnages de votre pièce sont deux femmes, qu'il ne faut apparemment qu'un décor minimum, et que les dialogues sont bien écrits, j'aimerais pouvoir la faire jouer pendant

117

cinq jours, durant la semaine où on accueille les nouvelles étudiantes de la rentrée d'avril… »

J'ai accepté avec enthousiasme cette proposition.
Mais je me suis sentie de plus en plus inquiète.
A force de la lire et de la relire, je ne savais plus si
cette pièce était bonne ou mauvaise. Et il m'est soudain venu à l'esprit de vous écrire, à vous qui, en plus
de vos nombreux romans, êtes l'auteur de tant de
pièces. J'ai lu vos œuvres, je peux même dire que je
vous considère comme mon maître. Je sais que vous
êtes difficile, dans le bon sens du terme, que vous
refusez de recevoir les admirateurs qui viennent vous
voir, que vous ne répondez pas à leurs lettres, et que
vous gardez pour vous les timbres qu'ils joignent
dans leur enveloppe pour la réponse (ne le prenez pas
mal, je ne fais que rapporter une anecdote qui figure
dans la rubrique des potins littéraires d'une revue
spécialisée). Mais je vous en prie, ayez l'amabilité de
lire ma pièce. Elle fait moins de vingt pages et je l'ai
recopiée au propre, cela ne devrait donc pas vous
prendre trop de temps. J'aimerais tellement que vous
me donniez votre avis. Si je constate qu'elle ne vous
plaît pas, je demanderai que l'on renonce à la jouer.
Si vous m'en dites du bien et que vous me l'autori-
sez, je me permettrai de citer vos compliments sur les
prospectus.

Vous devez me trouver vraiment sans gêne de
vous demander tous ces services. Je vous prie de bien
vouloir m'en excuser. Pour finir, le titre de la pièce
ci-jointe est *Requiem pour l'enfant qui ne reviendra
pas*, mais peut-être est-il un peu trop long ?

Fumiko Kobayashi

REQUIEM POUR L'ENFANT QUI NE REVIENDRA PAS

Une mère âgée

Une jeune célibataire

Avec un banc de bois pour décor,
cette pièce peut être jouée n'importe où.

Une cloche sonne au loin. La mère est assise sur le banc,
la tête emmitouflée dans un foulard.

LA VIEILLE MERE : Ah, j'entends sonner la cloche qui annonce le début des cours de huit heures à l'école élémentaire. Le premier train arrivant de la capitale doit rouler sous la tempête de neige en direction du tunnel à l'entrée de la ville. Quand il l'aura traversé, il sera déjà dans cette ville. Plus que cinq minutes et le train dans lequel tu te trouves va glisser devant moi, tiré par sa locomotive équipée d'un grand chasse-neige. Sais-tu comme je t'ai attendu, et ce que j'ai éprouvé en t'attendant ? Car cela fait un an que je ne t'ai pas vu. Et pourtant, je ne suis pas tellement contente. Je dirais même que je suis triste, puisque tu es devenu un lâche et que tu reviens après avoir trahi tes amis. Je n'ai pas mis au monde un lâche, je ne t'ai pas élevé pour que tu deviennes un faible. J'aurais voulu que tu deviennes un garçon bien.

Quand on t'a arrêté, cette nouvelle en a provoqué, de l'agitation, même dans cette ville ! Imagine que les journalistes des quotidiens et des magazines ont débarqué jusque dans cette campagne, et ils m'ont harcelée pendant une semaine. Tout jeune déjà, ce que tu faisais était si dangereux que je ne pouvais pas regarder, et finalement, tu as commis un acte insensé. Mais je n'ai pas l'intention de te le reprocher. Tu semblais croire qu'il suffisait de faire sauter les gros bonnets avec une bombe pour que tout s'arrange dans le

119

monde. Décidément, tu es un garçon impatient. Et tu as fini par te faire prendre avec tes cinq camarades. Non, je ne t'en veux pas pour cela. Les policiers ne s'amusent pas, ils font leur travail correctement, je savais bien que tu te ferais arrêter tôt ou tard. Et puis, moi aussi, je pense qu'il est dangereux que des gens s'imaginant qu'une bombe peut régler à elle seule presque tous les problèmes du monde courent les rues, et je suis un peu soulagée de savoir que la police t'a arrêté. D'ailleurs, c'est toi qui l'as lancé cette bombe, tu devais sûrement t'attendre à te faire prendre un jour ou l'autre. Et tes cinq camarades aussi, j'imagine. Pourtant, tu t'es montré faible dès ton arrestation, tu as très vite tout avoué, tu as trahi tes amis qui ne s'étaient pas fait attraper. Pourquoi donc es-tu devenu aussi lâche ? Tu as commis une mauvaise action, il n'y a aucun doute à ce sujet. Et donc, les gens considèrent qu'il faut se réjouir que tu aies tout avoué, et que ce serait un grand soulagement pour tous si, grâce à tes aveux, le chef de ta bande se faisait prendre. Et puis, tes aveux t'ont permis de bénéficier d'une libération exceptionnelle et tu vas revenir. Mais moi je ne suis pas du tout contente, car tu es un lâche et un traître.

Le commissaire de la ville a dit que tu avais commencé à tenir à la vie à l'instant où tu avais eu envie de devenir un bon fils qui prendrait soin de moi. Et tu as avoué. Pitié ! J'ai l'habitude des malheurs. Quand j'étais enfant, personne ne s'est occupé de moi, et jeune fille, je n'ai été séduite que par des mauvais garçons. Quand je me suis mise avec ton père, il est mort au bout de trois ans à peine. Et toi qui pleurais du matin au soir… Je me suis sentie à bout tant de fois, je me disais que je n'en pouvais plus. Mais il n'existe pas de malheurs en ce monde contre lesquels on ne puisse rien faire. La preuve, comme tu le vois, j'ai bien supporté tous ces malheurs. Pourtant, tu as dit que tu ne voulais pas rendre ta mère plus malheureuse. Que tu voulais te repentir de tes fautes le plus vite possible et te consacrer désormais à moi. Epargne-moi ! Je refuse un tel dévouement ! J'aurais voulu avoir un fils courageux, qui serait mort en allant jusqu'au bout de ses convictions et en

120

croyant que c'était utile pour le monde, même s'il avait fait quelque chose de mal. Si j'avais pu garder le souvenir d'un fils brave, quelle énergie cela m'aurait donnée pour l'avenir ! Mais tu t'es conduit en lâche, tu es parti en ôtant à ta mère toute énergie pour continuer à vivre…

(Le sifflet du train se rapproche.)

Mais seras-tu vraiment dans le premier train qui arrive de la capitale ce matin ? Cela fait trois jours que j'attends à la même heure ton retour sur le banc de la gare. Tu dois être maigre et n'avoir que la peau sur les os. Quand tu seras rentré à la maison, tu commenceras par dormir à poings fermés. Il faut que tu te détendes sans t'inquiéter de ce que disent les autres. Car ce sera fini dès qu'on ne parlera plus de cette affaire dans les journaux. Et si tu en as envie, tu pourras aller dans les champs. Ecoute-moi bien, à partir de maintenant, tu vas vivre avec la terre. Ne t'occupe pas des hommes.

(Le sifflet du train est tout près.)

Tu es vraiment dedans. Ce matin, tu vas revenir pour de bon. J'ai beau me plaindre de toi, je serais contente si tu étais de retour. C'est vrai, je me rappelle maintenant. C'était il y a six mois, à l'époque où je croyais que tu faisais un travail sérieux à Tôkyô. Tu avais mis une photo dans une lettre, où tu posais en compagnie d'une jolie jeune fille. Et je me souviens de tes quelques mots d'explication un peu gênés. Tu m'écrivais : « Maman, cette jeune femme sera peut-être un jour ta belle-fille. » Je me demande ce qu'elle est devenue. Ta conduite extravagante a dû tellement la choquer qu'elle en a certainement eu assez de toi. Pour une jeune fille, un mari normal doit être le plus sécurisant possible.

(On entend le bruit de la machine s'approcher et s'arrêter.)

Allez, ce matin, tu vas descendre.

(La vieille mère regarde fixement vers la gauche[1].)

---

1. En référence à « l'aile gauche » sur une scène du théâtre kabuki.

121

Si tu ne descends pas maintenant, comment pourrai-je encore passer le temps jusqu'à demain matin ?

(On entend le bruit de la machine qui s'approche et qui s'arrête. La vieille mère regarde fixement vers la gauche. Bientôt le sifflet retentit. La vieille femme laisse retomber ses épaules avec désespoir.)

Ce matin non plus, tu n'es pas de retour. Une jeune fille est descendue, l'air triste, tête baissée… Allez, je dois me ressaisir et attendre jusqu'à demain matin. Je finis par ne plus rien comprendre. Le premier matin, je me disais que je n'irais jamais chercher un lâche comme toi. Finalement, je suis venue. Hier matin, je me disais que j'allais te gifler de toutes mes forces, comme je le faisais souvent quand tu étais tout petit. Pourtant, je n'ai pas pu dormir de la nuit. D'après le journal, tu as été libéré il y a trois jours après avoir tout avoué, tu seras donc sûrement de retour demain matin. J'en ai le cœur qui bat et la bouche toute sèche. Mais j'ai l'intention de ne plus rien te dire. Je vais te serrer dans mes bras sans un mot. Je vais te serrer et ne plus jamais te lâcher. Les autres sont les autres, peu m'importe désormais que l'un d'eux meure ou se fasse tuer du moment que tu restes en vie, car nous pourrons vivre désormais tout le temps ensemble.

Comme je me sentais oppressée quand je pensais ne plus te revoir ! Et à présent j'ai le sentiment que les dieux et les bouddhas m'ont fait la promesse de me laisser vivre encore au moins cent ans. Car nous avons tous ce qu'on appelle un lendemain. Oh, la tempête de neige reprend. Allez, je dois partir dans les champs « marcher sur le blé[1] ». Je vais marcher sur le blé en pensant à toi. Quand viendra le printemps, et que ce sera le début de l'été, nous couperons le blé ensemble tous les deux.

---

1. Cette coutume consiste à marcher, habituellement au tout début du printemps, sur le blé qui a germé, pour aider les racines et les tiges de la plante à bien se développer par la suite.

La jeune femme célibataire apparaît timidement vers la gauche. Elle porte, suspendu à son cou, un paquet blanc et carré.

LA JEUNE FEMME CÉLIBATAIRE : Excusez-moi, mais je voudrais vous demander un renseignement.

LA VIEILLE MÈRE : Bien sûr. Si je peux faire quelque chose pour vous…

LA JEUNE FEMME : Savez-vous où se trouve la maison des Yoshikawa ? Je vois à peu près comment y aller. *(Sur le ton de quelqu'un qui récite un poème, elle dit :)* En tournant le dos à la gare, on prend sur la gauche. Cette maison est visible de la gare, mais si on avance un peu plus loin sur ce chemin vers la gauche, on la distingue cette fois-ci nettement derrière une rangée des peupliers…

LA VIEILLE MÈRE : Vous vous moquez de moi, on dirait. Vous pouvez y aller toute seule si vous savez tout cela.

LA JEUNE FEMME : Mais tout est recouvert de neige, je ne sais absolument pas comment faire. C'est la première fois de ma vie que je vois autant de neige.

LA VIEILLE MÈRE : Comme vous l'avez dit, on la voit d'ici. Tenez, la petite maison sur la colline. Suivez le bout de mon doigt.

LA JEUNE FEMME : Ah oui, je l'aperçois. Mais… croyez-vous que je pourrai voir Mme Yoshikawa en y allant maintenant ?

LA VIEILLE MÈRE : Vous ne la verrez sans doute pas là-bas.

LA JEUNE FEMME : Alors, où dois-je aller pour la trouver ? Je suis très pressée. Car je dois prendre le train de huit heures vingt pour la capitale.

LA VIEILLE MÈRE : Le train de huit heures vingt ! Il ne reste plus beaucoup de temps.

LA JEUNE FEMME : En effet. Mais… pourriez-vous me dire où je peux trouver Mme Yoshikawa ?

LA VIEILLE MÈRE : C'est moi. Tarô m'a envoyé un jour une photo où il posait à vos côtés. Alors j'y ai tout de suite pensé en vous voyant.

LA JEUNE FEMME : C'est vous… la mère de Tarô.

LA VIEILLE MÈRE : J'attendais son retour, et je suppose que j'étais dans un état un peu euphorique, car je vous ai taquinée. Mais je le savais que vous aimiez mon Tarô. J'ai compris, dès l'instant où j'ai vu cette photo, que vous viendriez un jour chez moi avec lui, et que nous pourrions vivre tous les trois en bonne entente, j'étais sûre que ce jour arriverait.

LA JEUNE FEMME : J'ai ramené Tarô...

LA VIEILLE MÈRE : Lui ? Où est-il ?

LA JEUNE FEMME *(Elle tend à la vieille mère la boîte blanche suspendue à son cou.)* : Tarô dort dans cette boîte carrée.

LA VIEILLE MÈRE : C'est lui, ça... ?

LA JEUNE FEMME : Il est mort.

LA VIEILLE MÈRE : Pour... pourquoi ? Quand cela ?

LA JEUNE FEMME : Avant-hier matin.

LA VIEILLE MÈRE : Mais les journaux ont dit qu'il avait été libéré.

LA JEUNE FEMME : Le bruit court que les journaux ont publié, soit sans le savoir, soit exprès, un faux communiqué de la police. Le gouvernement a envoyé à la presse un faux communiqué pour attraper le plus vite possible les autres membres de la bande. Les autorités espéraient qu'en lisant cette information ils perdraient la tête à l'idée que leur camarade capturé ait pu tout avouer. La manœuvre du gouvernement a réussi. Dans la seule journée d'hier, sept d'entre eux se sont fait prendre alors qu'ils quittaient sans précaution leur cachette, dans leur hâte à en changer.

LA VIEILLE MÈRE *(serrant contre elle la boîte blanche)* : Comme il est devenu léger.

LA JEUNE FEMME : Avant-hier, tard dans l'après-midi, la police nous a fait parvenir un message à l'usine pour nous dire d'aller chercher le corps de Tarô. Personne ne voulait y aller, de peur de se trouver mêlé à cette affaire... Je travaillais dans la même usine que Tarô. Il m'était absolument impossible de le laisser comme ça, même si les autres en étaient capables.

LA VIEILLE MÈRE : Mais comment est-il mort ?

124

LA JEUNE FEMME : Son corps a été immédiatement brûlé sur ordre de la police. Cependant, j'ai entraperçu son visage juste avant…

LA VIEILLE MÈRE : Vous l'avez vu ?

LA JEUNE FEMME : Oui. Sous la natte de paille, j'ai vu son visage boursouflé et violacé, ses mains et ses pieds congestionnés, gonflés, il était couvert de sang. Il avait été battu à mort. Les policiers ont expliqué qu'il était mort du typhus, ils m'ont donné l'acte de décès. Et ils ont dit qu'il fallait brûler son corps parce qu'il était atteint d'une maladie contagieuse. Mais je sais qu'il a été atrocement torturé.

LA VIEILLE MÈRE *(retrouvant sa fierté malgré sa profonde tristesse)* : Je le savais. Ce n'était pas un lâche qui voulait avoir la vie sauve en trahissant ses camarades. N'est-ce pas ? S'il avait été un lâche, il n'aurait pas supporté d'en arriver là.

LA JEUNE FEMME : Il est mort en serrant les dents sans prononcer un seul mot.

LA VIEILLE MÈRE : … Tu es mort en homme fort, d'une manière honorable. Je ne sais pas encore si cette nouvelle est triste ou pas. Dans un mois, dans six mois, dans un an, je commencerai à m'attrister. Mais je me souviendrai que tu as été quelqu'un d'honorable et de courageux, et cette idée me réconfortera. *(Coup de sifflet au loin.)* Ah, voilà le train pour la capitale. Je n'ai rien pu faire pour vous.

LA JEUNE FEMME : Si. J'ai pu voir cette ville dont Tarô me parlait tout le temps, et en plus sous la neige. Rien que pour cela, je suis contente. Et puis, j'ai pu vous voir… Quelqu'un m'a raconté ce moment où Tarô et ses camarades ont jeté une bombe sur la voiture du Premier ministre, je savais qu'il allait se faire arrêter. Les policiers l'ont déshabillé complètement et ils l'ont fait marcher jusqu'au poste.

LA VIEILLE MÈRE : Tout nu ?

LA JEUNE FEMME : Le témoin m'a dit que c'était sans doute un moyen pour l'empêcher de s'enfuir. Mais ils l'ont traîné dans la rue comme une bête curieuse.

La vieille mère : Quand il était petit, dès qu'il rentrait de l'école, il se déshabillait et il traversait ce champ de blé pour aller nager jusqu'à la rivière qui coule le long de la rangée de peupliers. Savez-vous pourquoi il se déshabillait ?

La jeune femme : …

La vieille mère : Il ne voulait pas me donner du travail en salissant ses vêtements. Cette fois aussi peut-être, il n'a pas voulu me donner de travail…

(La vieille mère tend la main droite à la jeune femme. Celle-ci la serre fortement.)

Vous avez les mains douces. Quel travail faites-vous à l'usine ?

La jeune fille : J'enveloppe des savons dans du papier, douze à la minute. Mais je ne retournerai plus à l'usine. Ils m'auraient pardonné si je m'étais contentée d'être sa petite amie. Mais, avant-hier, quand j'ai proposé d'aller le chercher, le directeur m'a dit que si j'y tenais absolument, alors il me fallait d'abord démissionner… J'ai donc démissionné. Je ne pouvais pas le laisser tomber.

La vieille mère : Qu'allez-vous faire à présent ?

La jeune fille : Je ne sais pas. Mais comme je suis seule, je pourrai toujours m'en sortir.

La vieille mère : Vous ne voulez pas venir chez moi ? La maison est petite, mais Tarô serait sûrement ravi.

Le sifflet du train se rapproche.

La jeune fille : Je retourne à Tôkyô. Je dois m'occuper de ceux qui ont été arrêtés avec lui.

La vieille mère : Bien sûr. Et puis vous êtes encore jeune…

(Atmosphère du train qui entre en gare.)

Bon, il faut y aller. Revenez me voir quand vous voudrez.

La jeune fille : Je reviendrai un jour. J'ai toujours voulu vivre dans un endroit où il y a autant de neige qu'ici. Au revoir.

La vieille mère : Oh, attendez !

(La vieille mère pose la boîte sur le banc, et retire de ses épaules son grand châle en laine traditionnel du Tôhoku pour le mettre sur celles de la jeune fille.)
Prenez ce châle, je vous le donne.
LA JEUNE FILLE : Mais vous allez avoir froid. Et à Tôkyô, il fait bien plus doux qu'ici.
LA VIEILLE MÈRE : C'est un vieux châle, je l'ai beaucoup porté, mais cela pourra sûrement vous être utile. Quand un fils se marie dans ma région, il est d'usage que la belle-mère offre un châle comme celui-là à sa belle-fille.
LA JEUNE FILLE : Comme il est chaud !

La jeune fille s'en va vers la gauche avec le châle sur les épaules. La vieille mère la regarde partir. Un bref silence. Puis le sifflet du train. Le train s'éloigne. La vieille mère tient fermement la boîte carrée.

LA VIEILLE MÈRE : Allez, toi, regarde-la partir. Tu restes avec moi, alors qu'elle est partie toute seule. Mais ne t'inquiète pas pour elle, ça ira. Et pour moi aussi, ça va aller. Quand j'étais enfant, personne ne s'est occupé de moi, puis jeune fille, je me suis laissée séduire par des mauvais garçons, et mon mari est mort, mon fils est parti avant moi… mais je ne suis pas malheureuse. Parce que tu as été un homme courageux. Allez, je vais marcher sur le blé en te tenant dans les bras, et mon blé va pousser.

On entend le sifflet au loin. C'est le signal de la fin, la scène s'obscurcit de plus en plus, le rideau tombe.

2

Le 21 janvier au matin

Mademoiselle Fumiko Kobayashi,
Je n'aime pas prendre la plume si ce n'est pour tracer des caractères sur le papier quadrillé que j'utilise

127

pour mes manuscrits, et le seul fait d'avoir à inscrire des notes sur du papier brouillon m'ennuie infiniment. Mais j'étais tellement en colère à la lecture de votre pièce que j'ai pris mon stylo pour vous répondre. Je vais être franc : vous n'avez aucun talent. C'est évident. Et vouloir être auteur dramatique quand on est dépourvu de talent, c'est comme se jeter tout nu dans le gouffre de l'enfer. Tâchez plutôt de vivre dans le bonheur, banalement. Je décèle partout la preuve de votre manque de talent, mais le pire, c'est cette sentimentalité incurable que l'on retrouve tout au long de votre pièce. En un mot, c'est mièvre. Pour commencer, croyez-vous qu'une vieille femme de la campagne fasse d'aussi belles phrases, et souvent gentillettes ? Le long monologue de la première partie m'a également ennuyé.

Comment voulez-vous qu'elle marche sur le blé alors que la neige s'accumule sur le sol, semblable aux neiges éternelles ? Je vais vous expliquer en quelques mots ce que sont les neiges éternelles car il me semble que vous n'en avez jamais vu : cette neige tassée sur un mètre, voire un mètre cinquante de haut, ne fond jamais, et, sous le poids, la base devient aussi dure que de la pierre. Même si l'on dispute un match de sumo ou si l'on saute dessus, cette base reste intacte. Est-il possible de « marcher sur le blé » dans une région pareille ?

D'autre part, vous écrivez dans cette pièce que ce fils se fait arrêter après avoir lancé une bombe sur la voiture du Premier ministre, mais qu'il sera « libéré s'il indique où se trouve le refuge clandestin de ses camarades ». Cette situation d'un lanceur de bombe libéré aussi facilement est une invention bizarre à tous points de vue. Comment est-ce possible, sans que soit prononcé au préalable un jugement le déclarant non coupable ? Ce fils serait mort sous la torture, mais, bien que le gouvernement ait contrôlé l'opinion publique à une certaine époque[1], et que les personnes poursuivies pour idées subversives aient été traitées d'une manière atroce, il me paraît cependant excessif de brûler le cadavre avant de le rendre à la famille. Ajoutons que, dans ce cas-là, c'est à sa « mère » de récupérer le cadavre, et, même si cette jeune femme s'occupe d'une affaire dont elle ne devrait pas se mêler, son comportement semble irréel, car dans la réalité on est loin de pouvoir s'imposer de cette manière. Il y aurait encore beaucoup à écrire sur toutes les incohérences que j'ai notées.

Il en existe plusieurs. La jeune fille entre en scène avec la boîte blanche suspendue autour du cou. Cet objet ne peut passer inaperçu, et il paraît absolument incroyable que la vieille mère ne se rende pas compte pendant aussi longtemps qu'il s'agit d'une « boîte funéraire ». Et avant tout, croire que « le premier train en provenance de Tôkyô arrive à huit heures du matin », c'est bien là une idée de citadin, car la plupart des premiers trains arrivent entre six heures trente et sept heures. En province, tout le monde se lève tôt. La jeune fille a l'intention « d'arriver par le train de huit heures en provenance de Tôkyô et de repartir vers la capitale par celui de huit heures vingt », cela relève d'une extrême indélicatesse, car, la jeune fille n'ayant pas prévu cette rencontre avec la vieille mère à la gare, son projet devait être le suivant : « aller chez les Yoshikawa depuis la gare – donner les restes funéraires de son amoureux à la mère – retourner à la gare ». Qui irait

---

1. Pendant la Seconde Guerre mondiale.

penser qu'elle peut accomplir cela en vingt minutes ? Autrement dit, comme il n'y a aucune raison pour que la jeune femme veuille prendre à tout prix le train de huit heures vingt pour la capitale, en temps normal elle resterait passer la nuit, et même en repartant le plus rapidement possible, il serait naturel qu'elle prenne le dernier train du soir. Alors, pourquoi s'obstine-t-elle à vouloir prendre celui de huit heures vingt ? Je ne trouve qu'une seule réponse : vous qui êtes l'auteur, vous avez envie de conclure cette pièce en un acte par le don du châle. En bref, les personnages semblent évoluer en fonction de ce qui arrange l'auteur, et dans ces conditions, les spectateurs ne prendront pas cette pièce au sérieux.

Plus j'écris, plus la fureur me gagne. De quel droit osez-vous me faire lire une chose d'aussi mauvaise qualité ? Il ne faut tout de même pas abuser ! Cependant, je prends la responsabilité de le déclarer tout net, vous n'avez aucun talent. La directrice de votre club de théâtre ne doit pas autoriser la représentation de votre pièce sur scène.

Keiichirô Nakano

3

Le 21 janvier dans l'après-midi

Mademoiselle Fumiko Kobayashi,
Tandis que je me promenais près de chez moi après avoir posté ma lettre écrite ce matin, j'ai été pris d'un doute. Vous dites avoir adapté cette pièce d'après une courte nouvelle, mais je me demande si je n'en serais pas moi-même l'auteur, car avant de

devenir un écrivain professionnel, je collaborais à une revue d'amateurs de littérature et, à une certaine époque, j'ai écrit une bonne dizaine de courtes nouvelles. C'était dans les années 1935 et j'étais alors étudiant. Comme je ne parvenais à produire que des histoires sans intérêt, j'avais abandonné l'idée de devenir écrivain, et j'ai choisi le journalisme jusqu'à la fin de la guerre. Or il m'est revenu à l'esprit… qu'en cette période d'apprentissage, j'ai peut-être rédigé un court récit semblable à la pièce que vous avez adaptée. Mais cela remonte à quarante ans, je ne peux donc même pas me souvenir du titre. Et ma maison ayant été détruite dans un incendie pendant la guerre, je n'ai évidemment plus cette revue. Cependant, j'ai l'impression d'avoir écrit quelque chose de similaire. Qu'en est-il au juste ?

Keiichirô Nakano

4

Le 24 janvier

Cher Monsieur Nakano,

Je vous remercie de vos deux lettres. Grâce à elles, l'exposition Keiichirô Nakano que nous, volontaires du comité de préparation au département des lettres japonaises, projetons d'organiser à l'occasion de la semaine d'avril qui accueille les nouvelles étudiantes de la rentrée, a des chances de remporter un franc succès. Car nous avons maintenant la possibilité d'exposer deux de vos lettres alors que vous détestez écrire et signer des autographes.

Depuis six mois, je vous envoie, au nom du département des lettres japonaises, des courriers dans lesquels je vous fais part de notre souhait d'obtenir votre collaboration au sujet de l'exposition Keiichirô Nakano, et je vous joins des enveloppes timbrées pour la réponse, mais vous n'avez jamais répondu. Et toujours avec cette volonté farouche d'obtenir à tout prix un exemplaire de votre écriture, je me suis rendue chez votre éditeur qui m'a raconté que vous aviez l'habitude de reprendre vos manuscrits à peine l'impression terminée. Là encore ma démarche n'a pas abouti.

Mais il y a quelque temps, je suis allée à Takamatsu, et dans une librairie de livres d'occasion où j'étais entrée par hasard, je suis tombée sur une vieille et mince revue couverte de suie, intitulée *La Sueur*. Comme je craignais de me salir ou me noircir les mains si je touchais à cette revue, j'ai ouvert la couverture du bout des doigts en la laissant à plat sur l'étagère, et j'ai aperçu votre nom à la table des matières. Ce n'était plus le moment d'attacher de l'importance à la saleté. Je l'ai prise dans les mains et l'ai lue avec enthousiasme. Le titre était *Le Châle*, et le contenu à peu près le même que celui de la pièce (?) que je vous ai envoyée l'autre jour. C'est en la lisant que j'ai eu l'idée de m'en servir pour obtenir des lettres de vous. A la fin de ma lecture, j'ai imaginé que si je vous envoyais ce récit transposé en pièce de théâtre, j'obtiendrais sûrement une réaction de votre part (et par courrier).

Par conséquent, je dois admettre que je vous ai trompé, et je vous prie de m'en excuser. Nous voulions tellement avoir un exemplaire de votre écriture. Et nous aimerions tant que vous nous honoriez de

votre présence à l'exposition Keiichirô Nakano à la
fin du mois d'avril. Nous vous attendons, en espérant
que vous répondrez à notre invitation.

Fumiko Kobayashi

étudiante en lettres japonaises à l'Université
de filles du Cœur-Pur, déléguée des volontaires du comité de préparation de l'exposition Keiichirô Nakano.

VII

LES PÊCHES

1

Le 20 août

Madame la Directrice du Jardin de lys blancs des anges[1],

Vous excuserez sûrement ma hâte à en venir directement aux faits. Mais, en tant que présidente du Salon de charité, je me suis empressée de prendre la plume pour annoncer une très bonne nouvelle à votre Jardin de lys blancs des anges.

Notre Salon de charité est un club qui a été fondé au printemps dernier par une cinquantaine de dames de notre ville de S., dont les maris sont des médecins, des propriétaires de maisons de commerce établies depuis longtemps dans la région, des professeurs, des maîtres de conférences de notre ville, des directeurs de succursales des principales compagnies de renom basées à Tôkyô, ou encore des intellectuels de la région.

Nous nous réunissons les premier et troisième samedi après-midi du mois à l'hôtel S. situé devant la gare, et nous organisons des cérémonies de thé, invitons des écrivains célèbres de la capitale à venir faire

---

1. Un tel nom évoque un établissement pour enfants pauvres ou orphelins.

des conférences ou bien convions des journalistes très compétents des journaux locaux à nous parler des problèmes actuels. A l'occasion de la fête des amoureux de Tanabata, nous avons loué la salle de réception de l'hôtel et tenu notre première assemblée générale. Il s'agissait d'un dîner buffet, et nous avons vendu la totalité des deux cents billets d'entrées à vingt mille yens l'unité, ce qui nous a rapporté un bénéfice net de deux millions trois cent cinquante mille yens. M. le maire et Mme son épouse, M. le recteur de l'université, ainsi que M. Ryô Takada, qui est un sculpteur citoyen d'honneur de notre ville, y ont participé, et notre réunion a connu un très grand succès.

Pendant les deux semaines suivantes, nous avons discuté entre nous de l'utilisation que nous allions faire de cet argent. Les discussions ont été assez difficiles, car nous n'arrivions pas à nous mettre d'accord. L'une proposait par exemple d'offrir une ambulance à la caserne des pompiers. Une autre voulait récolter encore un peu d'argent afin d'offrir un camion pour les examens médicaux au service de santé publique, une autre suggérait d'offrir à la bibliothèque municipale tout un rayon de livres qui s'appellerait « collection des livres de charité », une autre encore proposait de confier l'argent au secrétariat de l'université chargé d'accorder des bourses aux étudiants brillants, une autre de financer l'installation de cendriers dans les stations de bus, une autre de créer le prix de Charité et d'offrir chaque année deux cent mille yens aux cinq habitants les plus méritants de notre ville, une autre encore disait de donner deux cent trente-cinq mille crayons à papier aux écoles élémentaires locales, etc. Telles étaient certaines de nos suggestions, aussi différentes les unes des autres.

Mais il est arrivé un moment où plus personne ne voulait retirer son projet, et moi qui suis la présidente, j'ai craint de voir remise en cause l'existence même de notre club, six mois à peine après sa création.

Or, cet après-midi, au cours de notre réunion bimensuelle, une dame nous a présenté son idée que je trouve excellente. Voici ce qu'elle a dit :

« Nous toutes qui sommes ici présentes, nous avons un point commun, c'est celui d'être mère. Pourquoi, dans ces conditions, ne pas remplir jusqu'au bout notre rôle de mère ? Prenons par exemple cette institution près de chez moi qui s'appelle le Jardin de lys blancs des anges. Quatre-vingts enfants y vivent, paraît-il, depuis les tout petits qui ne sont pas encore scolarisés jusqu'à ceux qui terminent leurs années de collège[1]. La moitié d'entre eux sont orphelins... Et si vous voulez savoir comment je suis au courant, c'est tout simplement parce que ma fille est dans la même classe que l'un des pensionnaires de cet établissement. Le jour de visite des familles a lieu le premier dimanche du mois. L'autre moitié des enfants a au moins un père, une mère ou des parents qui viennent les voir. Ces adultes ont pitié de ces orphelins et ils leur apportent de bonnes choses à manger, des livres, des jouets en se disant : « Les pauvres, on ne peut rien faire pour eux en temps ordinaire, faisons au moins tout ce qu'on peut une fois par mois ». Certains les emmènent au parc d'attractions. Et ces enfants seuls au monde les contemplent avec ravissement en suçant leur pouce... Quand ma fille m'a parlé de ces petits, j'en ai eu les larmes aux yeux. Je me suis aperçue que, même au

_____
1. Soit quinze ans environ.

sein de cet établissement, il s'était finalement créé deux classes sociales très distinctes, selon que les enfants avaient un père, une mère, des parents, ou aucune famille. Et j'ai pensé qu'on ne pouvait pas tolérer une chose pareille. Alors, je vous propose mon idée : chaque premier dimanche du mois, nous pourrions nous rendre toutes ensemble au Jardin de lys blancs des anges, et devenir auprès de ces orphelins leur mère d'une journée. Les deux millions trois cent cinquante mille yens nous serviraient à payer le déjeuner, les cadeaux, et les loisirs quand nous les emmènerions ensuite à l'extérieur. Et s'il nous reste encore de l'argent, nous déposerions cette somme à la banque pour financer les études des bons élèves lorsqu'ils entrent au lycée… Qu'en dites-vous ? »

La plupart des membres de notre club ont approuvé son projet. C'est pourquoi je vous écris cette lettre. Et nous sommes fières d'avoir réussi à trouver grâce à nos délibérations un moyen permettant à chacune d'entre nous de devenir la mère d'un enfant malheureux, de s'occuper de lui avec soin et de lui être utile, sans se contenter de donner de l'argent ou des objets pour faire œuvre de charité. Je vous prie de bien vouloir tenir compte de nos sentiments et de nous considérer comme vos partenaires. Nous attendons votre réponse, et dès que nous l'aurons reçue, je me rendrai à votre établissement avec un comité afin de discuter en détail de la réalisation de notre projet.

Emiko Katagiri,
Présidente du Salon de charité

Le 22 août

Madame Emiko Katagiri,
Je vous remercie sincèrement de votre lettre pleine
de générosité. Nous sommes vingt-deux employés
qui travaillons dans cet établissement : une directrice
adjointe, cinq moniteurs, sept jardinières d'enfants,
une nutritionniste, deux cuisinières, deux personnes
chargées de la lessive et de la réparation du linge, une
couturière, deux secrétaires et moi. Chaque lundi
matin, après avoir envoyé les enfants à l'école élémentaire et au collège, nous avons pour règle, depuis
la création de notre institution, de nous réunir pendant deux heures. Et ce matin même, nous avons eu
l'honneur de lire votre lettre tous ensemble. Je tiens à
vous dire combien nous étions touchés, même s'il
n'était pas nécessaire de le préciser. En particulier le
vieux monsieur qui travaille chez nous comme secré-
taire et qui a gardé son mouchoir sur les yeux du
début à la fin de la lecture.
Comme vous l'avez constaté, il est assez difficile
de traiter ce problème des enfants orphelins qui n'ont
aucune famille pour les soutenir, à la différence de
ceux qui ont des parents, et nous nous sommes posés
beaucoup de questions à ce sujet. Mais après en avoir
discuté longuement avec les jeunes intéressés, nous
avons pensé d'un commun accord, aussi bien les
enfants que les employés et moi-même, que la
meilleure attitude à adopter pour le moment était la
suivante : « D'abord, bien comprendre dans quelle
situation on se trouve. Et ne jamais tomber dans le
pessimisme. Ensuite, puisqu'on ne peut compter que
sur soi-même, être le plus fort possible, le meilleur

possible, afin de devenir quelqu'un de très courageux capable d'assumer pleinement sa condition. »

Quand on n'a pas d'argent, il est inutile de se lamenter en disant « Ah, si j'avais de l'argent… » Et de la même manière, puisque ces enfants n'ont pas de parents, cela ne leur servirait à rien d'envier les autres en gémissant « Ah, si j'avais des parents… ». S'il leur suffisait de se dire « Ah, si j'avais des parents » pour créer un père ou une mère… Mais c'est impossible, alors arrêtons de nous lamenter… Les enfants d'ici qui n'ont pas de famille ont acquis cette façon de penser après avoir beaucoup souffert. Ils viennent enfin d'accepter l'idée que s'ils trouvaient du temps pour se lamenter, il valait mieux le mettre à profit pour s'enrichir intérieurement.

C'est pourquoi ces enfants ne changent pas spécialement de comportement le jour où leurs petits camarades reçoivent la visite de leur famille, une fois par mois. Il leur arrive même de leur taper sur l'épaule en les félicitant avec des petites phrases telles que « tu en as de la chance, dis donc ». Par ailleurs, aucun enfant ne se vante d'avoir de la visite. Ils savent parfaitement qu'il n'y a pas de quoi se vanter.

Vous objecterez que des enfants ne peuvent pas être aussi raisonnables, mais c'est la vérité pourtant. J'aimerais que vous veniez chez nous lors de la réunion hebdomadaire, et vous vérifierez vous-même que je ne raconte pas d'histoires.

Nous vous sommes donc très reconnaissants de nous avoir proposés de devenir « mère d'une journée », mais ne pourriez-vous pas examiner de nouveau la question après avoir lu ma lettre ? Je ne vous fais pas cette demande en mon nom seul, mais au nom de l'ensemble des employés de notre établissement.

Et si je puis me permettre de formuler un autre souhait, au cas où vous auriez toujours l'intention de nous aider financièrement, merci de faire en sorte de nous confier l'intégralité de la somme d'argent dont vous disposez. Nous passons tout notre temps disponible au contact des enfants, et nous croyons donc un peu savoir ce qui leur est actuellement le plus nécessaire, et ce qu'ils veulent. Par conséquent, nous nous disons aussi avec un peu d'orgueil que nous savons comment utiliser l'argent destiné aux enfants, et que nous sommes les seuls à pouvoir le faire. Nous espérons vivement que vous accueillerez favorablement notre demande. Mais je m'aperçois que ma réponse se révèle extrêmement incorrecte. Je vous prie de m'en excuser.

Sœur Junko Teresia Obara,
Directrice du Jardin de lys blancs des anges

3

Le 26 août

Madame Junko Obara,
Directrice du Jardin de lys blancs des anges
Je vais être claire. Vous tous qui travaillez dans cette institution, vous me semblez quelque peu arrogants. Ou bien vous m'avez l'air très sûrs de vous. Mais sachez que nous ne supportons plus de rester assises à notre place comme nous l'avons fait jusqu'à présent, en nous contentant de dire « Nous aidons les autres ». Nous avons décidé d'être « mère pour la journée » dans le but de nous éloigner d'une forme de charité assez hypocrite. Et je vous prie de bien

vouloir comprendre quelles sont nos motivations. « La mère d'une journée » serait naturellement un point de départ. Un enfant A de votre établissement et une mère B de notre groupe deviendraient mère et enfant pour une journée. Mais il s'agit là de la première étape. S'ils s'entendent bien, ils s'écriront régulièrement, et un dimanche, c'est à l'inverse A qui irait chez B, laquelle deviendrait mère pour deux jours, trois jours, et enfin trois cent soixante-cinq jours. De cette manière, ils apprendraient à se connaître, puis leurs liens deviendraient suffisamment forts pour que s'établisse entre eux une relation leur permettant de discuter de sujets aussi importants qu'une inscription au lycée ou la recherche d'un travail. Voici le but que nous toutes, nous souhaiterions atteindre. Et cela nous contrarie beaucoup d'apprendre que vous voulez bien recevoir l'argent, mais que nous n'aurions pas notre mot à dire sur son utilisation. Cette solution serait très éloignée de notre intention première.

Vous écrivez que les enfants du Jardin de lys blancs des anges comprennent très bien quelle est leur situation. Si tel est le cas, pourquoi rejetez-vous ainsi notre souhait de vouloir devenir « mère d'une journée » ? Ne voulez-vous pas nous faire davantage confiance, et offrir une nouvelle condition à ces enfants ? Je vous remercie d'y réfléchir à nouveau.

Emiko Katagiri,
Présidente du Salon de charité

4

Madame Emiko Katagiri,

Je vous remercie de votre lettre. Ma maladresse semble avoir provoqué votre colère à tous, et je vous prie de m'en excuser. Et bien que je ne sache pas trouver les mots justes, je voulais vous parler de quelque chose comme « l'influence de la bonne volonté », mais cette fois encore je n'étais pas sûre de réussir à m'expliquer correctement, et j'ai réfléchi longuement la tête entre les mains devant mon bloc de papier à lettres. Et soudain, je me suis rappelée un récit qui exprimait presque parfaitement ce que je ressentais au moment présent et qui avait été publié dans la revue de l'Amicale des élèves d'une université de filles de Tôkyô, il y a une douzaine d'années. Je suis allée le sortir du fond de ma malle, rangée dans le grenier du couvent. Je suis confuse de vous prendre de votre temps, mais j'ai découpé les pages de ce récit que je joins à ma lettre. Je vous remercie de les parcourir.

Premier prix du CONCOURS DE L'ŒUVRE DE FICTION
organisé à l'occasion du trentième anniversaire
de la création de l'université

LES PÊCHES
de Michiko Funakura

C'est par une soirée de juillet que les six participantes au séminaire sur l'éducation culturelle des écoliers inscrites dans une université de filles à Tôkyô, arrivèrent dans la mairie d'un petit village du Tôhoku connu pour être le plus reculé et le moins évolué de cette région froide.

Le vieil employé qui était de garde leur offrit aussitôt des tranches de pastèque qu'il avait mises au frais dans l'eau du puits, mais les six étudiantes s'affalèrent sur les tatamis usagés pour tenter de reprendre leur souffle. Elles haletaient, la langue pendante, et elles étaient si épuisées qu'elles n'arrivaient même pas à parler, ni à manger toute leur pastèque. Mais après avoir repris leur respiration, et retrouvé enfin un peu d'énergie, l'étudiante qui devait être leur chef dit :

« Moi, je pourrais dormir ici cette nuit, et vous, qu'est-ce que vous en dites ?

— Mais ce n'est pas possible ! répondit vivement le vieil employé en faisant un rapide geste négatif de la main. Vos lits sont prêts. Vous allez dormir chez M. le maire. »

L'une des six étudiantes murmura d'un air las : « Alors nous devons encore marcher. Je n'en peux plus. »

Le vieil homme commença à leur expliquer dans son dialecte comment on se rendait là-bas, en faisant des paraphrases selon l'habitude des habitants du Tôhoku : « M. le maire n'habite pas si loin. C'est tout près d'ici… »

Mais quelqu'un lui coupa la parole : « Ce sont les hommes et les femmes qui semblent éloignés les uns des autres mais sont proches[1] en réalité, et ce sont les routes de

---

1. Référence à une phrase dans *Notes de chevet* de Sei Shônagon (adaptées récemment au cinéma par Peter Greenaway sous le titre *The Pillow Book*).

campagne qui paraissent proches mais sont lointaines en réalité. »

En voyant l'air gêné du vieil homme qui se grattait la tête sans plus trouver ses mots, les étudiantes se mirent à glousser. Elles avaient repris leur souffle.

Puis le vieil homme poursuivit : « En tout cas, l'école se trouve juste à côté de chez M. le maire, ce sera donc facile pour vous demain. Quand même, je vous félicite d'être venues dans un endroit aussi perdu. Il y a soixante-douze écoliers et collégiens dans notre village, et ils attendent avec impatience votre théâtre de marionnettes… Mais nous irons tous voir le spectacle, bien sûr. »

Et tout en ramassant les tranches de pastèque laissées par les jeunes filles, il pensa : « C'est normal qu'elles ne mangent pas, elles sont complètement épuisées. »

En effet, elles avaient pris la ligne principale du Tôhoku, puis elles avaient changé pour une ligne de chemin de fer locale. Au terminus elles étaient montées dans un car qui avait roulé pendant trois heures et demie, et à la descente du car, elles avaient encore marché pendant deux heures. « C'est vrai, se dit-il, on est en pleine montagne, il faut toute une journée pour venir de Tôkyô. C'est sûrement un chemin un peu dur pour des jeunes filles de la ville. »

Au bout d'une petite heure de marche, le groupe vit le maire arriver à leur rencontre. C'était un homme de petite taille âgé d'une cinquantaine d'années, aux ongles jaunis de nicotine, et qui parlait beaucoup en grattant avec ses ongles-là son crâne aux cheveux clairsemés. Et quand il ouvrait la bouche, on voyait ses dents noircies par le tabac, mais curieusement il n'inspirait pas de répugnance.

Tout en guidant les étudiantes sur le chemin qu'il éclairait avec la lanterne portant le nom de la mairie et que le vieil employé lui avait passé, il leur dit :

« Votre présence dans ce village est pour nous un grand événement, vous savez. Vous devez vous moquer de moi et penser que j'exagère de dire ça, mais c'est vrai, je vous le jure. Nous avons tout juste une équipe de cinéma qui vient de la préfecture une ou deux fois par an, pour projeter des films, et les villageois n'ont jamais eu l'occasion d'assister à un spectacle de théâtre de marionnettes…

— Mais vous avez bien la télévision ? demanda la chef des étudiantes. »

Le maire fit signe que non avec sa lanterne :

« La NHK[1] se vante de couvrir quatre-vingt-dix-huit pour cent du territoire japonais avec ses ondes, mais ce village fait partie des deux pour cent restant qui ont du mal à capter leurs émissions. Nous sommes entourés de montagnes, il paraît qu'il faudrait installer trois ou quatre antennes pour que les ondes arrivent jusqu'à ce village. Alors, il n'y a que notre air pur et le chant des oiseaux dont nous pouvons être fiers, pour le moment…

— Oh, que c'est beau ! s'exclama une jeune fille. Regardez le ciel. On dirait qu'on a ramassé toutes les pierres précieuses du monde, jusqu'à la dernière, et qu'elles ont été collées sur ce ciel. »

C'était en effet une belle voûte céleste. Les jeunes filles qui, jusqu'à ce jour, n'avaient vu l'éclat des étoiles que dans un planétarium s'arrêtèrent un moment, fascinées par ce déluge de lumière. Et l'une d'elles tendit même la main instinctivement pour essayer d'attraper une étoile.

« C'est sûr, c'est un beau ciel étoilé, dit le maire, un petit sourire amer aux lèvres, tandis qu'il allumait une cigarette avec la flamme de la lanterne. Mais nous ne pouvons pas survivre en aspirant la lumière des étoiles. Ce village a vécu pendant longtemps grâce au charbon, et il est maintenant dans une impasse. Nous sommes vraiment obligés de trouver une nouvelle voie. C'est une question qui me tourmente en tant que maire. Oh, attention où vous mettez les pieds. Il y a une petite rivière. Quand nous l'aurons traversée, nous serons arrivés chez moi. »

---

1. Chaîne de télévision nationale.

Le dîner qui leur fut servi se composait d'une soupe au miso accompagnée de *warabi*[1], de *zenmai*[2], et de hareng séché cuit avec du *konbu*[3] dans de la sauce de soja, et la frugalité du repas montrait combien le village était pauvre.

Après le dîner, les étudiantes commencèrent à assembler pour le lendemain les différentes parties des grandes marionnettes, et à déplisser le rideau qui allait leur servir de toile de fond. Soudain une fille dit :

« Quand nous grimpions dans la montagne en portant sur le dos nos lourdes marionnettes et les accessoires, je regrettais vraiment d'être venue dans cet endroit au bout du monde. Je me disais que si j'avais su toutes les épreuves qui m'attendaient, j'aurais mieux fait de trouver un travail dans un établissement en bord de la mer où j'aurais non seulement gagné de l'argent, mais où je me serais amusée en plus. Pourtant, je pense que j'ai bien fait de venir finalement. Car j'ai vu un magnifique ciel étoilé. Le ciel semble tellement proche de nous ici. »

Leur chef, qui était en train de redresser la tige de fer du corps d'une marionnette, répliqua alors :

« Demain à la même heure, tu seras dix fois plus heureuse d'être venue ici. C'est bien la première fois que tu participes à une tournée, n'est-ce pas ? Tu ne dois donc pas le savoir, mais je peux imaginer dès maintenant ta joie quand tu verras le visage des enfants pauvres et affamés de culture, fascinés par un spectacle de marionnettes au point d'en oublier le reste du monde – et cette joie, tu ne l'oublieras jamais. »

A cet instant-là, quelqu'un poussa de nouveau un cri d'admiration :

« Une étoile filante ! »

Les six étudiantes regardèrent le souffle coupé la traînée de lumière, et elles restèrent encore longtemps après sa disparition les yeux fixés sur le ciel. Un coucou chanta si près

---

1. Fougères arborescentes.
2. Osmonde, fougère vivace.
3. Algues laminaire.

d'elles qu'elles en sursautèrent, puis elles entendirent quelqu'un qui coupait du bambou dans la montagne.

Le lendemain matin, les jeunes filles furent réveillées par le chant de centaines d'oiseaux.

Après s'être lavé la figure dans l'eau de la rivière, elles allèrent se promener autour de la maison du maire. A l'arrière, il y avait un champ au sol peu fertile, en face l'école élémentaire, et au milieu du champ se dressait un petit pêcher qui portait sur ses branches une dizaine de fruits aux reflets dorés sous les rayons du soleil matinal. Quand les jeunes filles virent ces pêches à la peau blanche où se dessinaient des taches roses aux contours estompés, elles eurent l'impression qu'il y avait un certain décalage entre cet arbre et ce village tellement pauvre. La responsable du groupe enveloppa de sa main la pêche qui se trouvait près d'elle.

« Elle a l'air mûre. La peau est douce et veloutée. »

Les cinq autres passèrent rapidement les doigts sur les fruits, et l'une d'elles dit :

« Vous croyez que le maire serait fâché contre nous si nous en mangions sans lui demander la permission ? »

Mais avant de connaître la réponse elle avait déjà cueilli une pêche. La responsable l'imita, puis la frotta énergiquement avec la paume de la main.

« Pourquoi voulez-vous qu'il nous en veuille. Vous vous souvenez de l'année dernière, pendant notre tournée à Yamagata, il y avait bien des poires occidentales près de notre auberge, et nous les avons mangées sans autorisation, mais quand nous avons dit ensuite combien elles étaient bonnes, ils nous en ont tellement donné que nous n'avons pas pu tout rapporter. »

Les six avaient maintenant chacune une pêche dans la main. La responsable goûta la sienne la première, et quelle ne fut pas sa surprise de la découvrir aussi juteuse. Après s'être essuyé la bouche avec la main, elle annonça :

« Elle est bonne. Très sucrée. Mais la chair est assez fibreuse. Bien, disons que c'est un fruit de qualité moyenne. »

Et les jeunes filles pleines d'appétit dégarnirent rapidement le pêcher. Certaines en mangèrent deux, et celles qui n'en avaient mangé qu'une enviaient la chance de leurs camarades.

Ensuite, le petit groupe transporta à l'école tout le matériel nécessaire pour le spectacle, puis elles obscurcirent les fenêtres de la classe avec du tissu noir et fabriquèrent ainsi un théâtre de marionnettes improvisé. Pendant qu'elles travaillaient, on entendait parfois une fille grincer des dents, sans doute à cause des petites fibres de pêche qui y étaient accrochées.

Les préparatifs terminés, ce fut le petit déjeuner. La responsable des étudiantes demanda alors à la femme du maire :

« On ne voit pas votre mari, il est déjà parti ? »

Cette dernière, qui était en train de leur servir le thé, lui répondit dans son dialecte :

« Oui… il est parti à la mairie tout à l'heure, il paraît que la préfecture a téléphoné tard hier soir pour prévenir qu'un ingénieur venait au village cet après-midi, mais il n'est pas encore rentré… »

La responsable dit en plaisantant :

« La nouvelle que nous donnions un spectacle dans le village est parvenue jusqu'à la préfecture. Et on vient spécialement de là-bas pour nous voir. »

Quelque peu flattées par sa plaisanterie, les étudiantes avaient le sourire aux lèvres quand elles virent revenir le maire qui marchait d'un pas léger comme s'il dansait.

« Tiens, te voilà, lui dit sa femme. Tu veux manger ? »

Mais au lieu de répondre, celui-ci s'installa au coin du feu, et il se mit à fumer avec délices.

« Que se passe-t-il ?

— Il vient. Enfin. Un ingénieur arrive enfin de la préfecture.

— C'est ce que vient de nous apprendre votre femme. Mais dites, monsieur le maire, vous avez l'air drôlement content. Pourquoi l'arrivée d'un ingénieur vous fait-elle autant… »

Le maire l'interrompit :

« Quand j'étais jeune, on m'avait envoyé comme soldat sur le continent chinois, et la première chose que j'ai mangée en débarquant à Shanghai, c'est une pêche. Celle qu'on appelle « la pêche juteuse de Shanghai ». Elle était pleine de jus et de sucre, et pour moi, il n'y avait rien d'aussi bon au monde. »

Son histoire s'annonçait longue. Les six étudiantes s'allongèrent sur le sol pour l'écouter ou restèrent assises en se tenant les coudes en arrière.

« Après mon retour à la fin de la guerre, je n'avais toujours pas oublié le goût de cette pêche. Et j'ai donc décidé d'essayer d'en faire pousser moi-même. Mais, vous ne le savez peut-être pas, vous toutes, les pêches ne supportent pas le froid. Il est difficile d'en cultiver dans les régions froides. On dit qu'au Japon, c'est complètement impossible dans les régions qui se trouvent au nord de Yamagata et de Miyagi. Vous comprendrez pourquoi je n'ai connu que des échecs successifs. »

Sa femme, qui s'apprêtait à transporter au lavoir du bord de la rivière toute la vaisselle sale qu'elle venait de ramasser, intervint :

« Dans son dos, on le traitait de "fou des pêches", ce n'était pas drôle pour nous.

— Mais je ne me suis pas laissé décourager. J'ai parcouru tout le Japon à la recherche d'un arbre-étalon qui pourrait supporter le froid. J'ai failli abandonné plusieurs fois. Mais à chaque fois, je me disais que ce n'était pas seulement un passe-temps. Que ce serait bon aussi pour le village. Et j'ai enfin trouvé à Yamagata un arbre-étalon supportant le froid qui s'appelait "la pêche Kanenaka". Une fois que je l'avais trouvé, il ne fallait plus ensuite que de la patience et du soin. On a fait de nombreuses greffes, et d'autres par œil détaché, et il y a quatre ans on a enfin réussi à créer une espèce laissant espérer que dans ce village, on pouvait faire pousser des pêchers. Et ce pêcher, c'est l'arbre au milieu du champ derrière la maison… »

Le maire alluma sa deuxième cigarette avant de continuer :

« Les gens d'ici n'ont pas vraiment d'industrie pour les aider à vivre dans cette époque moderne, et à l'idée que notre vie serait un peu plus facile si je réussissais à cultiver ces pêches, j'ai été patient et les fruits ont poussé. Le pêcher a donné trois fruits il y a deux ans, six l'année dernière, et dix cette année, que je n'ai pas encore mangés, mais les pêches des deux années précédentes étaient bonnes. Naturellement, elles ne peuvent pas rivaliser avec ces fameuses pêches juteuses de Shanghai, toutefois elles ont suffisamment de goût pour être commercialisées. Mais bon, vous le savez, pour en faire l'industrie du village, il faut de l'argent. Et quand je suis allé demander une subvention à la préfecture, l'ingénieur a répondu en me parlant comme un paysan : "C'est quoi cette folie ? Vous sortez d'où pour faire croire qu'on a des pêches dans cette région ?" Alors, je lui ai dit : "Avant de décider que je suis fou, venez d'abord voir vous-même s'il y en a ou pas !" »

Le maire rit de tout son cœur. Les six étudiantes s'étaient redressées. Elles étaient toutes assises correctement le dos bien droit, et la responsable tremblait, le visage blême.

« Et voilà, aujourd'hui, l'ingénieur va faire toute la route pour venir jusqu'ici. Il va voir le pêcher qui est derrière, toucher les fruits, les manger, il sera étonné, et il acceptera sûrement notre demande de subvention. Ce village sera bientôt un *Tôgenkyô*[1]... Qu'est-ce qui vous arrive mesdemoiselles ? Vous êtes soudain très sérieuses. »

A cet instant surgit la femme du maire qui était arrivée en courant dans l'entrée en terre battue :

« Elles ont disparu, les pêches ont disparu ! Tu me crois, les pêches ne sont plus là ! »

La séance de marionnettes commença à dix heures du matin, mais il y avait très peu de spectateurs.

---

1. Village utopique entouré de pêchers évoqué dans un livre écrit par le poète chinois Tôsen (lecture japonaise) au IVe siècle.

Nombreux étaient les parents qui n'avaient pas laissé venir leurs enfants en leur disant : « Il ne faut pas aller voir le spectacle de celles qui ont volé les pêches, le bien le plus précieux du village. »

La responsable, qui devait manipuler sa marionnette et raconter en même temps l'histoire, manquait d'entrain et sa voix était grave quand elle récitait : « Il était une fois un vieil homme et une vieille femme. Le vieil homme est parti ramasser des brindilles dans la montagne, et la vieille est allée laver le linge à la rivière… »

Mais en son for intérieur, elle pensait : « Comme l'a dit l'une de nous hier soir, nous aurions peut-être mieux fait d'aller travailler ailleurs et de nous amuser au bord de la mer. Pour nous, et pour le village… »

Elle avait presque des sanglots dans la voix pour poursuivre : «… Tandis que la vieille femme lave le linge dans la rivière, arrive en amont une grosse pêche… quelque chose semble tambouriner à l'intérieur[1]… »

… Comme vous êtes intelligente, vous comprendrez où je veux en venir. Notre bonne volonté ne leur était utile en rien tant que nous n'avions pas compris ce que signifiaient ces pêches pour le maire et pour les villageois. Au contraire, nous les avions mis dans l'embarras. C'est une histoire qui m'émeut, car je suis allée moi-même dans ce pauvre village du Tôhoku où se situe le récit. Oui, j'ose l'avouer maintenant. C'est ce qui s'est passé dans la réalité. L'auteur, Mlle Funakura, était un membre du club de marionnettes, et elle m'avait dit avoir un peu fait son autocritique en écrivant son récit. Et la responsable insolente, c'était moi. Depuis, je me pose sans cesse

---

1. En référence au célèbre conte japonais *Momotarô*, le héros qui s'en alla combattre l'ogre, accompagné d'un faisan, d'un singe et d'un chien.

cette question : « Une pêche n'est pour moi qu'une simple pêche, mais que signifie-t-elle pour l'autre ? », et pour tenter d'y répondre, j'en suis même arrivée à devenir religieuse et à m'occuper d'enfants. Mais je n'ai pas encore bien compris ce qu'il y a derrière « la pêche ». Je ne le comprendrai sans doute jamais de ma vie.

Excusez-moi d'insister, mais je souhaiterais que vous réfléchissiez bien une fois de plus à cette idée de « mère d'une journée ».

Junko Teresia Obara,
Directrice du Jardin de lys blancs des anges

5

JOURNAL *LES NOUVELLES DE KAWAKITA*,
ÉDITION DU SOIR

1er septembre de l'an 52, ère Shôwa

Nous sommes aujourd'hui le premier jour du mois de septembre. La cérémonie d'ouverture annonçant le début du deuxième trimestre scolaire s'est déroulée dans toutes les écoles élémentaires et tous les collèges de la vile, et le Salon de charité, le club des dames de la haute société de notre ville (dont la présidente est Mme Emiko Katagiri), a pris la décision de faire distribuer ce matin deux cent trente-cinq mille crayons à papier dans l'ensemble des établissements, après avoir prévenu le responsable municipal de l'éducation…

VIII

LA MORT DE CENDRILLON

1

Le 21 avril

Monsieur le professeur Teiji Aoki,

Veuillez m'excuser de ne pas vous avoir donné de mes nouvelles pendant longtemps. Mais aujourd'hui, je suis allée rendre visite à ma tante chez elle à Koiwa, car j'avais enfin un jour de congé après une longue période de travail. Et au cours de la conversation, elle m'a soudain annoncé : « Au fait, ma petite Kayo, un monsieur qui dit avoir été ton professeur en deuxième année de lycée[1] est passé ici pendant les vacances de printemps. Dis donc, il est plutôt bel homme, il a dans les vingt-huit ans, il est grand, il a le teint mat. Si je me souviens bien, il s'appelle Teiji, ou Teizô[2], Aoki. Il est reparti après m'avoir posé beaucoup de questions à ton sujet. C'est rare de nos jours un professeur qui s'intéresse autant à ses élèves. »

Je n'en revenais pas ! J'enrageais tellement que j'ai traité ma tante de « méchante femme » ! Et j'ai

---

1. Soit seize, dix-sept ans.
2. La combinaison des idéogrammes de ces deux prénoms signifie « Deuxième Fils », ou « Troisième Fils ».

voulu savoir pourquoi elle ne vous avait pas donné le numéro de téléphone du dortoir où j'habite.

Mais elle m'a répondu, sans aucun scrupule apparemment : « C'est que, vois-tu, j'avais malheureusement égaré le bout de papier sur lequel tu me l'avais écrit… Et j'avais complètement oublié le nom de la société où tu travailles. »

J'ai vraiment une horrible tante. Elle est la femme du frère cadet de mon père qui est mort. Mon oncle, qui était atteint d'une tuberculose osseuse, est décédé lui aussi il y a cinq ans et, depuis, elle habite seule (elle n'a pas eu d'enfant). Elle travaille actuellement comme femme de ménage dans un cinéma de Koiwa. Je ne sais pas si c'est parce que nous n'avons pas de liens du sang, mais elle est très froide avec moi. A vrai dire, quand j'ai quitté précipitamment Nagaoka pour venir à Tôkyô, j'espérais son soutien. Je croyais qu'elle m'hébergerait chez elle pendant une dizaine de jours. Le premier jour de mon arrivée, elle s'est montrée gentille avec moi, elle m'a bien accueillie, mais c'était peut-être à cause du cadeau que je lui avais apporté, car dès le lendemain matin, elle n'a cessé de m'importuner avec ses petites phrases qu'elle me lançait sur un ton sarcastique :

« Le propriétaire du bar à droite de la salle de cinéma, m'a demandé si je savais où trouver une bonne fille sympathique. Tu as une idée ! »

« Dans le bar de jus de fruits qui est juste en bas à gauche de l'immeuble, ils ont accroché une pancarte qui porte l'inscription : "Recrutons employée". Ça doit être intéressant ! »

« Ce n'est pas bon de regarder seulement les annonces publicitaires de films dans les journaux. Lis donc aussi en détail les annonces d'offres d'emploi. »

« Oh, il n'y a plus de thé. Avec une personne de plus à la maison, je constate que la consommation de thé augmente presque du double. »

« Moi, je ne regarde pas la télévision pendant la journée. Mais depuis deux jours, il y a quelqu'un à la maison qui reste collé en permanence devant le poste. J'ai peur d'aller voir le compteur. »

Je suis partie de chez elle au bout de quatre jours. Et je suis devenue vendeuse dans un grand magasin de la chaîne Saihô. Ce n'est pas un grand magasin ordinaire. Le groupe possède actuellement cinq établissements du même type dans les quartiers de Yotsuya, Roppongi, Aoyama, Shinjuku et Kichikôji, et ce sont pour la plupart des bâtiments de sept étages. Ils ont tous la même disposition : au sous-sol et au rez-de-chaussée, il y a le supermarché, au premier étage les cafés-terrasse et les boutiques élégantes, au deuxième les restaurants, au troisième les restaurants chinois, au quatrième le pub, au cinquième le salon de coiffure et le sauna pour dames, au sixième le salon de coiffure et le sauna pour hommes, et enfin au septième les bureaux de l'administration et les dortoirs. Moi, je travaille à Yotsuya dans l'espace supermarché, où on ne vend que des produits de luxe. Le slogan publicitaire de notre grand magasin est « Nous sommes ouverts vingt-quatre heures sur vingt-quatre » et notre clientèle est constituée pour la plupart d'hôtesses de Ginza[1] qui habitent dans les résidences de luxe du quartier, de vedettes de la télévision (en raison de la proximité des bureaux d'une chaîne de télévision), et aussi de scénaristes et de producteurs. Comme ces gens-là vivent la nuit, ils ont absolument besoin d'un grand magasin ouvert

1. Quartier chic de la capitale.

vingt-quatre heures sur vingt-quatre. Naturellement, nous avons aussi beaucoup de clients ordinaires.

Je me suis un peu écartée du sujet. Mais sachez qu'aujourd'hui, j'ai fini par me disputer avec ma tante. Et je n'irai plus jamais à Koiwa.

Monsieur le professeur, je suis vraiment désolée de vous avoir donné de l'inquiétude. Lorsque j'ai quitté Nagaoka au mois de septembre dernier, juste avant la rentrée du deuxième trimestre[1], je n'ai prévenu personne, et je n'en ai même pas parlé à mes meilleures amies, Mayumi Funakoshi et Hideko Fujisawa. Je pensais que vous étiez le seul à qui je pourrais dire la raison de ma fugue, mais je n'ai pas réussi à vous parler, à vous non plus. Sept mois se sont écoulés depuis que je suis partie, et j'ai enfin trouvé le courage de tout vous confier. Je ne serai peut-être pas capable de terminer mon récit (car il s'agit de choses trop terribles, et j'ai aussi tellement honte), mais je vous prie de lire l'histoire de votre élève Kayo.

Vous savez sans doute que je vivais avec ma mère dans un foyer réservé aux mères élevant seules leurs enfants. Quand j'avais douze ans, mon père est allé un jour à la pêche dans l'île de Sado[2], où il a été emporté par une vague et porté disparu. Ensuite, ma mère a travaillé dans un restaurant traditionnel de luxe[3] à Nagaoka. Dès que l'établissement manquait de serveuses à l'arrivée de clients imprévus, on faisait appel à ma mère. Les jours où on ne l'appelait pas, elle restait presque tout le temps couchée. Elle était faible car

1. Au Japon, la rentrée scolaire s'effectue au mois d'avril.
2. La plus importante de la mer du Japon, où rizières, pêche et tourisme constituent les principales ressources économiques de l'île.
3. *Ryôtei*, restaurant japonais avec geishas.

elle souffrait d'une colésistite chronique. Et pour ces raisons, nous avons bénéficié d'une aide sociale à partir de mon année d'entrée au collège.

Mais, je dois vous le dire, monsieur le professeur, c'est l'époque la plus heureuse de ma vie. J'ouvrais mes livres sur la table basse, et je préparais ou révisais mes cours en baissant le volume de la radio. Je mourais de faim. Mais je faisais crisser mon crayon sur les feuilles de cahier en m'exhortant à la patience. Je me disais : « Allez, courage. Maman va arriver avec un délicieux repas. » Et quand onze heures du soir sonnaient enfin à la pendule, je pensais : « Ça y est, c'est bon. Toutes les deux, avec maman, nous allons bientôt commencer notre festin du soir. » Je regardais l'eau dans la bouilloire sur le poêle à kérosène, et j'en rajoutais au besoin. J'enlevais tout ce qui traînait sur la table basse, je préparais le thé. A onze heures et demie, onze heures quarante-cinq au plus tard, j'entendais le bruit des pas de ma mère se rapprocher doucement de notre chambre au premier étage. Et comme elle traînait un peu la jambe droite, je reconnaissais immédiatement sa démarche. J'étais incapable de rester dans la chambre à l'attendre et je me précipitais toujours dans le couloir en l'accueillant avec les mêmes mots prononcés à voix basse : « Qu'est-ce que tu nous as rapporté de bon ce soir, ma petite maman ? »

Ma mère apportait toutes sortes de plats dans une boîte en bois mince destinée à servir les repas froids. C'était un cuisinier qui la remplissait avec les restes des repas somptueux que faisaient les clients, et le contenu n'était donc jamais le même. Certains soirs, on avait plein de sashimis[1]. D'autres soirs, c'était de la

---

1. Tranches de poisson cru.

tempura[1] ramollie par l'humidité de l'air. Il y avait aussi des jours où on n'avait que des *satoimo*[2] cuits dans de la sauce de soja. Mais il arrivait parfois que ma mère revienne avec une petite casserole contenant une soupe de carpe au lieu d'un repas froid servie dans une boîte. De toute façon, moi, je trouvais tout délicieux. Et quand je bavardais avec ma mère autour d'un repas pourtant souvent frugal, j'étais une petite fille heureuse sans souci aucun ni sujet de mécontentement.

Je voulais à tout prix entrer au lycée. C'est pourquoi à partir de mes quatorze ans, quand j'étais en deuxième année de collège, j'ai commencé à travailler dans un magasin prestigieux de gâteaux traditionnels de la ville. Mon travail consistait à mettre sous cellophane les *monaka*[3] et les célèbres *manju*[4] fourrés à la pâte de marrons. Je crois me souvenir que je gagnais un yen vingt sens par pièce. Ce qui me faisait entre dix mille et quinze mille yens par mois. Lorsqu'un enfant gagne autant d'argent dans une famille qui bénéficie de l'aide sociale, ses parents risquent de perdre leurs allocations. Je travaillais donc en secret, sans le dire à personne. Et je racontais aux femmes du foyer : « Je dois m'entraîner beaucoup pour les compétitions à mon club de volley-ball, et je n'ai malheureusement plus beaucoup de temps pour rester à la maison. »

Il est fréquent que les allocations d'une famille soient suspendues après la dénonciation de personnes

---

1. Friture de légumes, poissons ou crevettes.
2. Taro ou colocase, sorte de pommes de terre rondes.
3. Sorte de gaufrette ronde ou carrée habituellement remplie de pâte de haricots sucrés. La forme ronde représente la pleine lune.
4. Sorte de boulette de pâte à base de farine et de levure, remplie de pâte de haricots sucrés et cuite à la vapeur.

vivant dans le même foyer, et qui disent par exemple : « Madame X a acheté des vêtements neufs pour son enfant… Cette semaine, madame Y a mangé trois fois des sashimis… Elles ont sûrement des revenus ailleurs… Vous devriez peut-être faire une enquête… »

La plupart de ceux qui dénoncent ainsi auprès du bureau d'aide sociale habitent dans le même foyer. C'est une habitude ridicule et triste, vous ne trouvez pas ? Si j'étais un adulte, je créerais en secret un syndicat avec tous les membres du même foyer, je chercherais du travail en même temps que les autres, et on se le partagerait, afin d'augmenter ne serait-ce qu'un tout petit peu nos revenus pour faire face à des problèmes imprévus ou manger une nourriture plus consistante.

En résumé, nous étions pauvres, mais pendant un temps j'ai vécu des jours heureux. Il y a deux ans au printemps, j'ai été reçue au concours d'entrée du lycée de mon choix dans la préfecture, et à peine inscrite au club de théâtre, on m'a sélectionnée pour tenir le second rôle dans la pièce que l'on jouait pour le festival de la culture. Il ne m'arrivait vraiment que des choses bien. Et à la rentrée de printemps en deuxième année de lycée, il m'est arrivé une chose encore plus merveilleuse. Vous, monsieur Aoki, qui nous dirigiez dans le club de théâtre, vous êtes devenu le professeur principal de la classe. Peut-être n'aimerez-vous pas lire les mots suivants, car vous allez penser que je suis une fille dévergondée, mais je vous l'écris tout de même : toutes les filles du lycée étaient folles de vous. Vous étiez célibataire. Vous étiez beau. Et surtout, vous restiez modeste. Vous saviez beaucoup de choses. Vous étiez gentil, toujours prêt à nous aider, mais sans vous montrer envahissant, et en outre, vous étiez issu de l'une des plus vieilles familles de Nagaoka, puisque vous êtes le fils cadet du plus grand fabricant de saké. Alors, s'il existait une lycéenne pour ne pas vous admirer, avec toutes ces qualités, elle était complètement stupide. Je vous admirais, moi aussi. J'avais décidé de m'appliquer à mes études pour attirer votre attention. Et de faire de mon mieux dans mes activités au club, pour la même raison…

Mais c'est à partir de ce moment-là que le comportement de ma mère a commencé à changer. Elle guérissait peu à peu de sa colésistite, et je reconnais qu'elle allait beaucoup mieux, mais elle prenait l'habitude de rentrer à une heure tardive. Au lieu de rentrer à minuit au plus tard, les soirs où elle allait travailler au restaurant, il lui arrivait fréquemment de ne rentrer qu'à une ou deux heures du matin. Je ne l'attendais plus pour dîner comme du temps où j'étais collégienne. Je faisais ma soupe au miso toute seule, je faisais griller le poisson, etc., et je mangeais seule. J'aurais pu mourir de faim si j'avais attendu son retour. Et dès qu'elle arrivait, ma mère se glissait dans son lit. On aurait dit qu'elle craignait de croiser mon regard car elle gardait les yeux baissés, et tout en se plaignant dans un murmure qu'elle se sentait lasse, qu'elle avait les jambes lourdes, elle étalait rapidement son futon et s'allongeait dans le lit en me tournant le dos. Mais comme si elle s'en souvenait tout à coup, elle me disait : « Je t'ai laissé un cadeau sur la boîte à chaussures, ma petite Kayo. Ce sont des sushis. Tu vas voir, ils sont bons. » Ils étaient d'excellente qualité et sans comparaison avec ceux que le cuisinier nous mettait dans une boîte à partir des restes laissés par les clients… Mais cela ne me faisait absolument pas plaisir. Ma mère avait changé, elle

162

avait un secret que j'ignorais. Et cette idée m'empê-
chait d'apprécier les sushis que j'étais en train de
manger. Je trouvais qu'ils n'avaient aucun goût.

C'était au début du mois de mai l'année dernière,
peu après la *Golden Week*[1]. Ma mère s'était absentée
pour deux nuits afin de faire le tour de la péninsule
de Noto à l'occasion du voyage offert par les patrons
du restaurant à leurs employés. Or, le soir de son
départ, quelqu'un du restaurant a téléphoné au foyer.
C'est moi qui ait pris la communication. Et voici le
message qu'on m'a demandé de transmettre :

« Dites à votre mère de venir ce soir. Elle nous
avait prévenus qu'elle ne pourrait pas travailler pendant trois jours pour des raisons personnelles, mais
nous avons de nombreux clients qui sont arrivés sans
réservation, et nous avons absolument besoin de personnel. Dites à votre mère que la patronne du restaurant la prie de venir l'aider. »

Ma mère m'avait menti. Elle ne participait pas à
un voyage d'entreprise avec tous les employés. Elle
était partie pour faire un voyage mystérieux sans me
dire de quoi il s'agissait.

A son retour, je lui ai raconté que la patronne du
restaurant l'avait appelée pour lui demander de venir,
que j'avais répondu que c'était impossible car ma
mère était en voyage, et que la patronne avait semblé
très ennuyée. Alors, ma mère est devenue toute pâle
et elle est restée à trembler devant moi sans pouvoir
prononcer un mot, puis elle a fini par avouer :

« J'aime un homme. Il s'appelle Yakichi, il est
apprenti cuisinier, il apprend la cuisine traditionnelle.

---

1. Cette « semaine dorée » compte plusieurs jours fériés, ce
qui permet aux Japonais de prendre plusieurs jours de vacances
d'affilée.

Il a trente-cinq ans, un an de moins que moi. Comprends-moi, ma petite Kayo. J'en ai vraiment assez de vivre seule. »

Dès le lendemain, ce fameux Yakichi est venu à la maison. C'était un homme de petite taille qui parlait avec l'accent du Kansai, il était si gros qu'on ne lui voyait pas le cou. Et il fumait tellement qu'il avait les dents jaunies par la nicotine. A peine est-il entré dans la pièce qu'il m'a tapé l'épaule en me disant : « Mais elle est bien plus jolie que sa mère, cette fille-là ! »

Et j'ai senti son haleine qui empestait le tabac quand il est parti dans un rire vulgaire avant de poursuivre : « Allez, vous n'avez plus de soucis à vous faire puisque je suis là. J'ai prévu d'ouvrir bientôt un petit restaurant. Ben, je crois bien que vous êtes tranquilles maintenant. Et bien sûr, vous allez quitter ce foyer de mères seules qui fait trop misérable. »

Il m'arrivait d'écouter les femmes du foyer quand elles discutaient dans le couloir ou debout au soleil devant la porte, et je les entendais parfois déclarer : « A vingt ans, on peut être veuve, mais à trente, on ne peut plus se le permettre. » Et je croyais comprendre ce qu'elles voulaient dire par là. J'avais donc pensé que si ma mère venait à se remarier ou si elle devenait une « maîtresse » comme on en parle souvent dans les magazines, je ne serais pas troublée et je bénirais sa nouvelle vie ou sa nouvelle aventure. Mais en fait, cela dépendait de l'homme. S'il s'était agi d'un homme respectable, ou tout simplement de quelqu'un de bien, de gentil, avec au moins une qualité solide… je me serais réjouie. Or, celui-là était ce qu'il y avait de pire. Il voulait se valoriser avec son titre d'apprenti cuisinier dans un restaurant traditionnel, alors qu'il était en réalité coursier chez un marchand de *ramen* qui se trouvait à proximité. N'allez surtout pas croire qu'un coursier dans ce genre d'établissement est pour moi ce qu'il y a de pire. Mais lui, il avait travaillé dans un *pachinko*[1] où il avait volé des cadeaux avant d'être renvoyé. Ensuite, il s'était occupé du feu dans la cuisine d'un hôtel traditionnel d'où il avait été renvoyé après avoir voulu partager la couche d'une cliente. Puis il était entré dans une société d'agents de sécurité d'où on l'avait également renvoyé pour manque de compétences… et enfin, il était devenu coursier, mais cette fois-ci il avait honte de son travail et il racontait partout qu'il était apprenti cuisinier. C'est pour toutes ces raisons qu'il était pour moi ce qu'il y a de pire.

Si maman tenait tant à prendre un homme, elle aurait pu choisir quelqu'un de mieux… De dépit et de rage, je n'ai pas pu dormir pendant plusieurs nuits. Il y avait autre chose qui ne me plaisait pas et qui me faisait trembler : cet individu rentrait de temps en temps au foyer avec ma mère et il y passait la nuit. Je ne suis pas une enfant. Je sais plus ou moins ce que font un homme et une femme qui dorment dans le même lit. Aussi, je mettais du coton dans mes oreilles, je m'enfonçais sous la couverture en leur tournant le dos, et je restais immobile. Si vous saviez comme cet homme était sans-gêne, il ne se retenait pas, il criait fort, il étendait la jambe pour me tapoter le dos avec le pied. Une fois, j'ai senti mon sang se glacer. Quand ma mère et cet homme dormaient dans le lit, il y avait toujours la même odeur désagréable, une odeur de saké mêlée à celle de poisson pourri, et

---

1. Sorte de flipper vertical. Jeu peu coûteux et très populaire. La partie terminée, le joueur peut échanger ses billes contre des cigarettes, des biscuits ou autres petits prix de ce genre. Ces salles très bruyantes remplies de *pachinko* sont extrêmement nombreuses au Japon.

à celle aigre-douce de l'instant où deux corps nus se frottent. Quand ce mélange de trois odeurs se répandait dans la pièce, et que je n'entendais plus les gémissements de l'homme ni la respiration saccadée de ma mère, cela signifiait que le supplice qui m'était infligé prenait provisoirement fin, et je pouvais alors me retourner. Ce jour-là aussi, j'ai commencé à sentir cette odeur désagréable, et le calme semblait revenu près de moi. Mon corps tout raidi s'est détendu, et je me suis retournée. A ce moment-là, j'ai vu cet homme pousser avec son bassin les hanches à la peau blanche de ma mère. Et ce n'est pas tout, il avait aussi le visage tourné vers moi. L'homme m'a souri en exhibant ses dents sales…

Mais, monsieur le professeur, si j'ai quitté la maison et la ville de Nagaoka, ce n'est pas seulement parce que j'ai vu l'acte sexuel entre ma mère et cet homme. Une chose encore plus terrible s'est passée.

C'était un soir pendant les vacances d'été, deux jours avant la rentrée. J'avais dit bonne nuit à ma mère qui partait au restaurant, et je venais d'ouvrir mon livre d'anglais sur la table basse, quand cet homme est entré avec une bouteille de whisky dans la main. Je lui ai annoncé que ma mère venait de s'en aller à son travail, mais il s'est assis lourdement à côté de ma table et il m'a lancé : « Me voilà justement après avoir laissé la vieille partir. Ce soir, je voudrais un peu parler avec toi. »

Puis il a commencé à boire du whisky. Et moi, j'ai rangé en vitesse mes livres et mes cahiers. Je voulais évidemment m'échapper en dehors de la pièce. Mais cet homme s'est mis à me raconter des choses bizarres : « Nous ne sommes plus des étrangers toi et moi. Nous sommes comme mari et femme maintenant. Quand je baise la vieille, c'est-à-dire ta mère, je te regarde toujours. Tu comprends ça ? J'ai l'impression de te baiser. Donc, tu n'es plus une étrangère pour moi. Tu es ma femme… »

J'ai rampé jusqu'à la porte. Car je n'avais ni le courage, et encore moins le temps, de me lever. Mais je n'avais pas fait un mètre que sa main avait déjà tiré sur ma jupe. Et…

Cette nuit-là, j'ai quitté la ville de Nagaoka par le dernier train, après avoir griffonné pour ma mère ces quelques mots : « Je t'en prie, ne me cherche surtout pas. »

Voilà toute mon histoire, monsieur Aoki, mais elle est finalement sans intérêt et elle est complètement terminée. Même si je semble peu modeste, je trouve que j'ai fait de gros progrès en disant que mon histoire est « sans intérêt ».

Actuellement, je fréquente une école traditionnelle de théâtre à Tôkyô, la Tôkyô Engeki School. Vous devez la connaître de nom, car elle est célèbre. Je travaille dans le grand magasin Saihô de huit heures du soir à huit heures du matin, et je vais à l'école depuis une heure de l'après-midi jusqu'à cinq heures. Je peux donc bien organiser mon temps. La classe préparatoire s'étend six mois. Moi, je l'ai terminé au mois de mars dernier après avoir débuté en octobre, et je suis actuellement dans le cours pour professionnels qui se poursuit sur deux ans. Pendant ces six premiers mois, on nous pressure afin de juger de notre volonté de faire ce métier, et pendant le cours proprement dit, on nous fait travailler durement pour nous aguerrir. C'est la politique de cette école. Après la cérémonie des diplômes, toutes les grandes troupes de théâtre telles que le Bungakûuza, le Haiyuza et le Mingei offrent d'engager les jeunes diplômés. Mais certaines élèves vont passer des auditions au Waseda

Shôgekijô, au Benitento ou au Kurotento[1]. Personnellement, je voudrais plutôt faire un essai pour obtenir un rôle principal dans un feuilleton télévisé.

Les élèves du cours professionnel, en plus des cours théoriques et pratiques obligatoires, sont tenus de jouer dans la pièce qui est présentée tous les six mois devant les débutants. Mais ceux qui peuvent monter sur scène ont de la chance, et les deux tiers des élèves font surtout l'apprentissage des coulisses. La prochaine représentation pour les débutants a mis *Antigone* de Jean Anouilh à son répertoire (nous jouerons pendant cinq jours au début du mois de juin au théâtre Haiyûza de Roppongi). La distribution des rôles nous sera annoncée lundi prochain. Je ne sais pas encore si je vais en obtenir un ou pas. Et à l'idée que oui, j'en ai le cœur qui bat. Il reste cinq jours avant lundi prochain, et si cette lettre vous parvient à temps, vous seriez gentil de prier pour votre ancienne élève et en même temps ancien membre de votre club de théâtre. J'ai bien l'impression, monsieur Teiji Aoki, que vous serez le seul au monde à prier pour moi.

Je vous ai écrit une très longue lettre. La prochaine fois, je vous promets de ne pas trop vous prendre de temps, je vous écrirai une lettre plus concise. Prenez bien soin de vous. Mais, surtout, ne dites pas à ma mère que je vous ai écrit. Elle serait capable de laisser échapper mon adresse devant cet homme. Et il risquerait alors de débarquer à Tôkyô. Je vous en prie.

Kayoko Shiozawa

---

1. Le terme de *tento* (chapiteau, tente) désigne une troupe ambulante comme il en existe à Tôkyô, en particulier Akatento, « Le chapiteau rouge ».

*

Mademoiselle Kayoko Shiozawa,
Je vous remercie de votre lettre. Je vous remercie
vraiment. Elle m'a fait extrêmement plaisir. Je suis
tellement content que je ne trouve plus mes mots,
mais je peux vous assurer que je suis heureux de
vous savoir en bonne santé. Et ce n'est pas tout, à ce
que je vois, puisque vous menez aussi une vie coura-
geuse. Je vais bien sûr prier pour que vous obteniez
un rôle dans *Antigone*. Nous sommes le 23 avril. Je
sauterai les repas de midi du 24 et du 25. Si je jeûne à
cette heure-là pour prier, le bon Dieu pensera bien un
peu à vous. Je vous écrirai à nouveau bientôt. Ne perdez pas courage quoi qu'il vous arrive.

Teiji Aoki

*

Le 27 avril

Monsieur Teiji Aoki,
Je viens de finir la lecture de votre lettre. Je vous
remercie beaucoup. Et grâce à votre jeûne de midi,
monsieur le professeur Aoki, j'ai pu saisir une occasion inouïe. On m'a désignée pour tenir le rôle principal dans *Antigone*. La distribution des rôles a été
annoncée hier après-midi, et depuis j'ai l'impression
d'être sur un nuage. J'ai la tête vide, et je n'arrive à
penser à rien. Car mon esprit s'envole aussitôt vers la
scène du théâtre Haiyûza au début du mois de juin. Je
vais poser les pieds sur une scène où des stars telles
que Tatsuya Nakadai, Jirô Hiramiki, Tsuyoshi Katô,
Kuniyasu Tanaka, et Komaki Kurihara ont marché…

169

A chaque fois que j'y pense, je crois m'évanouir. Mais je ne dois pas rester éternellement dans cet état euphorique. Il faut que je reprenne mes esprits et faire tout mon possible pour que cette occasion soit la chance de ma vie. Les répétitions commencent au mois de mai. Je dois apprendre par cœur beaucoup de répliques. Je ne peux pas quitter mon travail, et mon problème, désormais, est le manque de temps. Cependant, cela ne m'empêchera pas de vous écrire même si je suis occupée. Vous devez l'être vous aussi, mais j'aimerais tant que vous répondiez à mes lettres. Je vous quitte à présent. Prenez bien soin de vous.

Kayoko Shiozawa

*

Le 29 avril[1]

Mademoiselle Kayoko Shiozawa,

Toutes mes félicitations. J'ai bien fait de jeûner à midi. La chance que vous avez saisie était sûrement un cadeau de Dieu qui a eu de la compassion pour vous en sachant les épreuves que vous avez endurées. Ne renoncez jamais, quoi qu'il vous arrive. Bon courage.

Teiji Aoki

*

---

1. Jour férié, anniversaire de l'Empereur, et début de la *Golden Week*.

170

Monsieur Teiji Aoki,

Je ne vous ai pas écrit pendant quelque temps, car j'apprenais mon texte depuis onze jours, et à partir d'aujourd'hui nous répétons debout. Le texte de l'héroïne Antigone est de cinq cent soixante-neuf lignes au total, ce qui fait près de quarante pages pour des feuillets de quatre cents caractères. Mais j'ai tout appris par cœur. Le professeur chargé de la mise en scène m'a félicitée. Il m'a dit : « C'est bien, vous êtes passionnée, c'est comme ça qu'il faut être. »

A ce propos, le directeur de la société de production Yachiopuro est venu nous voir dans la salle de répétition. C'est une société assez connue, et comme son nom apparaît parfois sur le générique des feuilletons télévisés à côté des grandes compagnies de production célèbres telles que Wakakusa ou Otoripuro, vous la connaissez peut-être. Le directeur a dans les trente-cinq ans, il est encore jeune, et pour dire la vérité il vient souvent dans le magasin de Yotsuya où je travaille. Il fait ses courses la nuit la plupart du temps, et il achète du lait, du fromage, du whisky. Hier soir encore, je l'ai vu au magasin, et il m'a demandé : « Je vous regarde depuis longtemps. Que diriez-vous de devenir une vedette ? Je suis sûr que vous avez du talent. Si vous me laissiez faire, je vous promets que vous ne le regretteriez pas. »

Alors, je lui ai expliqué que je prenais des cours pour jouer à l'occidentale des pièces de théâtre modernes, et que je devais tenir le rôle principal à l'occasion de la représentation donnée au mois de juin en l'honneur des nouveaux inscrits dans notre école.

« Cela me donne encore plus d'espoir maintenant que je sais que vous avez une formation théâtrale », a-t-il dit avant d'ajouter : « J'irai dès demain vous voir répéter ».

Le directeur est venu comme il l'avait annoncé. Et j'allais partir à la fin de la répétition quand je l'ai vu qui m'attendait à l'extérieur. Il s'est approché de moi pour me complimenter en m'affirmant qu'il admirait de plus en plus mon talent. Ensuite, il m'a emmenée dans un salon de thé du quartier. Et là, il m'a raconté une chose trop belle pour être vraie.

Il m'a expliqué qu'il existait un projet de *terebi shôsetsu*[1] ayant pour sujet la vie d'une femme médecin qui devait être diffusé sur une chaîne privée à partir de la première semaine du mois d'octobre, un quart d'heure par jour, du lundi au samedi. Mais on ne trouvait pas l'actrice principale. Le sponsor voulait des nouvelles têtes, et c'était devenu difficile à trouver. Le chef de la publicité (il s'agit d'une entreprise familiale) est le fils cadet du PDG. Et il avait chargé le directeur de la société de production qui est son ami depuis l'université de recruter sa vedette. Ce dernier était cependant ennuyé car il ne découvrait pas celle qui était susceptible de convenir pour le rôle. Il m'a dit alors : « Mais vous, je suis sûre que vous pourriez intéresser le sponsor. Vous feriez certainement une candidate de poids. Vous ne voulez pas passer une audition avec le chef de la publicité. Qu'en dites-vous ? Et pourquoi pas ce soir même ? Dans mon bureau à Yotsuya. A vingt et une heures. Et si vous obtenez le rôle, permettez à notre société de devenir votre agent. »

---

1. « Roman télévisé », en référence à celui diffusé sur la chaîne nationale NHK.

Voici en résumé quel a été son discours. De retour au magasin, j'ai demandé à mon directeur l'autorisation de prendre un congé ce soir. Et je vous écris cette lettre dans ma chambre au dortoir. Mais il est vingt heures trente. C'est l'heure de partir pour l'audition. Que va-t-il se passer ? Je vous écris la suite dès que je serai rentrée. Je vous en prie, monsieur Aoki, merci de faire encore une prière pour moi...

Ce n'était pas une audition. C'était une sorte d'entretien pour faire affaire avec moi. Quand j'ai compris de quoi il s'agissait, j'ai voulu repartir aussitôt, mais ma jupe a été saisie par la main du chef de la publicité qui était tellement gros qu'on ne voyait pas son cou en dépit de sa petite taille. Et... Adieu, monsieur le professeur.

Kayoko Shiozawa

*

Le 11 mai

Mademoiselle Koayoko Shiozawa,
Il ne faut pas mourir. Ne perdez pas courage, quoi qu'il vous arrive.

Teiji Aoki

*

Monsieur Teiji Aoki,
J'en ai assez de rêver. Adieu.

Kayoko Shiozawa

Le 18 mai

Monsieur Teiji Aoki,
Professeur au lycée Nagaoka de la préfecture de Niigata,
Je vous prie de m'excuser de vous envoyer ainsi ce courrier qui risque de vous prendre au dépourvu. Mais je travaille au commissariat de Yotsuya, et le 12 mai à l'aube, j'ai trouvé un carnet à côté d'une mademoiselle Shiozawa qui s'est suicidée par le gaz dans la chambre n° 3 au septième étage du dortoir des employés de la chaîne Saihô, dans le magasin de Yotsuya situé au 3-1-9 Yotsuya, et ce carnet m'a intrigué. A sa lecture, vous comprendrez aussitôt que ces sept lettres ont toutes été écrites par la même personne (c'est-à-dire la suicidée Kayoko Shiozawa). Elle les a écrites sans avoir l'intention de les poster, et elle rédigeait elle-même les réponses. Ce comportement me paraît bien étrange. Si quelque chose au sujet de cette affaire vous venait à l'esprit, vous seriez bien aimable de me le signaler.

Il y a aussi un certain décalage entre ce qui est écrit dans le carnet et la réalité. Je vous en fait part, au cas où.

1. Une école traditionnelle de théâtre célèbre qui s'appelle la Tôkyô Engeki School…
1 bis. Elle n'est ni traditionnelle ni célèbre.
2. De grandes troupes de théâtre comme le Bungakuza viennent recruter…
2 bis. Elles ne viennent pas du tout.
3. *Antigone* sera interprétée au théâtre Haiyûzaq de Roppongi pendant cinq jours…

3 bis. Une seule journée, au Kôkaidô[1] de Akasaka.

4. J'ai eu le rôle principal…

4 bis. On lui a donné un petit rôle de bonne.

5. Yachiopuro est une société assez connue…

5 bis. C'est une petite société insignifiante, qui s'occupe surtout de former du personnel de cabaret.

6. Il y a un projet de feuilleton télévisé ayant pour sujet la vie d'une femme médecin… Il s'agit d'une audition pour recruter l'actrice principale.

6 bis. Ils avaient le projet d'un tournage de spot publicitaire pour la télévision. C'était une audition pour trouver une commercial girl *et la filmer uniquement.*

Apparemment, cette fille racontait par écrit des rêves extravagants dans ces « lettres qui n'en sont pas ».

Et si on croit à ce qu'elle dit dans ce carnet, il est fort probable que le chef de la publicité de la société des produits de beauté Hanamurasaki[2] voulait qu'elle fasse avec lui ce qu'il lui demandait en échange d'un passage à la télévision, ce que ce monsieur nie catégoriquement. Il affirme au contraire que c'est Kayoko Shiozawa elle-même qui a proposé : « Je vous offre mon corps, et… », mais comme elle n'est plus de ce monde, il n'y a pas moyen de tirer l'affaire au clair et de savoir qui dit la vérité. J'ai toutefois l'intention de continuer ma petite enquête personnelle. Malheureusement, pour cette fois-ci, je suis obligé de me taire et de fermer les yeux par manque de preuves. J'espère cependant recevoir une réponse de votre part. Avant de terminer, j'ajoute que mon intérêt pour la correspondance de ce carnet est uniquement

---

1. Moins prestigieux que les salles de théâtre. Une sorte de salle des fêtes.

2. « Fleur de violette ».

d'ordre privé. Veuillez donc me répondre en toute liberté.

Yoshizô Takanashi,
Commissaire adjoint
du commissariat de Yotsuya

P.-S. : De son vivant, Kayoko Shiozawa avait dit à ses collègues du magasin qu'elle était auparavant dans un lycée publique de la ville de Nagaoka, j'en ai donc déduit qu'il devait s'agir de votre lycée dans la préfecture de Niigata.

3

Le 23 mai

Monsieur Yoshizô Takanashi,
Commissariat de Yotsuya,
En réponse à votre lettre, j'ai l'honneur de vous informer que Kayoko Shiozawa était en effet inscrite dans notre établissement jusqu'au premier semestre de l'année dernière. Au début du second semestre, sa mère nous a indiqué par lettre que sa fille quittait notre établissement, et nous en avons pris acte. Et il n'y a pas dans notre école de professeur répondant au nom de Teiji Aoki, en revanche, il existe deux professeurs qui s'appellent Hideo Aoki et Teiji Ishihara.

En réalité, nous écrivons tous les deux cette lettre à quatre mains, mais aucun de nous n'a été professeur principal de sa classe, ni dirigé le club de théâtre. En outre, nous avons chacun une cinquantaine d'années, nous ne sommes ni jeunes ni beaux, et nous n'avons aucune idée sur la raison qui l'a poussée à créer ce personnage de « Teiji Aoki » à partir de nos deux noms.

Une seule fois, peu après son entrée au lycée, il nous est arrivé de lui donner ensemble un conseil. Nous l'avions vue par hasard à l'heure du déjeuner se faire toute petite pour manger son repas en le cachant d'une main avec le couvercle de la boîte (certainement parce que son repas était celui d'une fille pauvre). Et nous l'avons appelée pour lui dire la chose suivante : « Que se passerait-il si vous mangiez votre repas de midi à toute vitesse pendant un cours du matin ? Les autres élèves critiqueraient sans doute cette fille bizarre qui mange pendant les cours. Là au moins, vous auriez une raison de vous cacher. Vous y seriez obligée, même si vous aviez apporté un repas somptueux. Réfléchissez bien à cela. »

Nous supposons que cette anecdote à son sujet ne vous sera pas très utile, mais c'est tout ce que nous savons d'elle.

Hideo Aoki et Teiji Ishihara

IX

UN BEAU MARIAGE

1
(Ecrit à la main)

Le 3 septembre 1977 au matin

Professeur Tadao Takahashi,
J'ai hésité longuement avant de me décider à vous écrire cette lettre. Et c'est en pleurant que je vous écris maintenant. Mais je dois vous quitter. Car je veux absolument placer mon père dans un bon hôpital.

Ne soyez pas fâché. Je vous en prie, lisez-moi jusqu'à la fin. Vous savez bien que je vis seule avec mon père depuis mon entrée au jardin d'enfants. C'est lui qui m'a élevée pendant toutes ces années dans un vieux logement situé en bas d'une côte, au fin fond d'un quartier résidentiel de Yotsuya. Il était agent immobilier, mais comme il était peu bavard de nature, son travail devait lui peser terriblement. C'est pourquoi il buvait presque chaque soir. Et puis, il n'arrivait pas à s'acheter sa propre maison, alors que c'était son métier de vendre des maisons. Peut-être buvait-il souvent plus que de raison parce que cette situation le mettait en colère. Bref, dès ma petite enfance j'ai eu pour tâche d'aller acheter du saké pour mon père dans une boutique près de chez nous.

179

Ce que je vous raconte doit vous sembler sans intérêt, mais en réalité, il y a un rapport étroit avec ce qui est en train de m'arriver. Je vous demande donc de vous montrer patient et de continuer à lire ma lettre. Cela s'est passé un soir d'hiver, j'avais onze ans. Il faisait un froid glacial et la neige fondue tombait à l'oblique. A neuf heures passé, mon père qui avait bu jusqu'à la dernière goutte tout le saké que j'avais acheté dans la soirée m'a dit qu'il en voulait d'autre. A l'idée qu'il lui était sans doute arrivé quelque chose de désagréable à son travail, j'ai pris l'argent qu'il me donnait et j'ai couru chez notre marchand habituel. Mais j'avais beau tambouriner sur la porte d'entrée, personne ne venait répondre. Etaient-ils absents ? Ou dormaient-ils déjà ? Je n'en savais rien mais je n'obtenais en tout cas aucune réaction. Je suis donc allée sur la grande avenue de Yotsuya, et j'ai fait le tour des quatre ou cinq vendeurs d'alcool du quartier. C'était partout pareil. Personne ne venait m'ouvrir. Les commerces qui donnent sur les avenues sont de grands magasins et l'arrière-boutique où vivent les propriétaires est donc assez éloignée de l'entrée principale. Et puis, les épais volets des devantures étaient baissés, ils ne pouvaient rien entendre même si une petite fille criait à tue-tête. Et en plus, un vent fort soufflait dans les rues.

Je suis donc repartie en direction de la maison en traînant des pieds, et quand je me suis retrouvée devant la boutique de notre marchand de saké habituel, j'ai décidé de frapper encore une fois à la porte. Il était évident que mon père serait de mauvaise humeur si je rentrais les mains vides, mais par-dessus tout, je voulais que mon père puisse boire. S'il parvenait à oublier ses problèmes grâce à l'alcool, qu'il boive tout son soûl. Voilà ce que je pensais à l'époque. Tandis que maintenant, je lui prendrais la bouteille des mains quitte à me disputer avec lui. Et le saké était aussi un bon remède pour lui, puisque cette boisson le rendait gai.

Mais on ne me répondait toujours pas. Et je n'entendais aucun bruit m'indiquant que quelqu'un venait m'ouvrir. J'ai donc repris ma route la tête baissée et les épaules tombantes lorsque j'ai vu à quelques maisons de là une voiture noire s'arrêter devant un immeuble de quatre étages.

« Qu'est-ce que tu as ? » m'a demandé l'homme qui sortait du véhicule. Il était grand, âgé d'une trentaine d'années. Je lui ai expliqué la situation et il a disparu à l'intérieur du bâtiment en me priant d'attendre un instant. Il en est ressorti aussitôt avec une bouteille de saké dans la main.

« Tiens, prends-la, m'a-t-il dit. C'est du saké d'Akita. C'est un alcool très sec qui fera sûrement plaisir un connaisseur. »

Je ne voulais pas qu'il me la donne gratuitement. Alors, je lui ai tendu de l'argent. Mais il a refusé de le prendre après m'avoir répondu : « Tu es devant l'immeuble du bureau de Tôkyô de ce saké d'Akita qu'on appelle le "Kazan[1]". Les bouteilles qui sont vendues dans la capitale arrivent toutes ici, avant d'être transportées dans nos boutiques ou dans les grands magasins. Ne t'en fais pas. C'est plein à craquer de bouteilles de Kazan ici. »

Et il a disparu à l'intérieur de l'immeuble.

J'étais si contente d'avoir fait provision de saké que je suis rentrée sous la pluie glaciale en sautillant. Mon père a semblé apprécier ce Kazan. Car, à plusieurs reprises, il m'a dit avec bonne humeur, la

---

1. « Montagne de fleurs ».

langue pâteuse : « Je prendrais toujours cette marque de saké maintenant. Je compte sur toi, Mihoko. »

Le lendemain matin en allant à l'école, je me suis arrêtée devant l'immeuble Kazan, et je suis entrée. Il y avait plus de dix bureaux au rez-de-chaussée où des employés qui étaient déjà arrivés à cette heure matinale classaient les reçus, buvaient du thé, lisaient les journaux. Je suis allée vers l'un d'eux pour demander :

« Je pourrais voir le grand monsieur qui a dans les trente ans et qui est arrivé ici hier soir après neuf heures dans une voiture noire ?

— Ce doit être le directeur. Attends un peu. »

Il est monté au premier étage. Et j'ai vu redescendre presque tout de suite le monsieur de la veille. Il était en pyjama, avec une brosse à dents dans la bouche. Je l'ai remercié pour son cadeau, et quand je lui ai posé cette question : « Mais où peut-on acheter du Kazan ? », il m'a répondu :

« On peut en acheter dans les boutiques Kazan de Ginza, Shibuya, Kanda, Nihonbashi, Shinjuku, Ikebukuro, Nakameguro. On en vend aussi dans les plus grands magasins de la capitale. Mais pourquoi viens-tu me demander cela ? Ah, je vois, ton père a apprécié ce saké.

— C'est vrai. Il dit qu'il sera fidèle au Kazan dorénavant.

— Je suis très flatté. Mais pour une petite fille comme toi, cela me paraît difficile d'aller en acheter tous les jours à Shinjuku ou à Kanda. Tiens, j'ai une idée ! Dès qu'il t'en faudra, viens ici. On te le vendra à quatre-vingt pour cent du prix fixé. Mais n'oublie pas d'aller de temps en temps chez ton marchand habituel. Sinon, il risquerait d'en vouloir au Kazan. »

Depuis ce jour-là et jusqu'à l'automne dernier, époque à laquelle mon père est tombé malade à la suite d'une pancréatite, due au saké qu'il buvait régulièrement depuis des années, je suis allée tous les deux ou trois jours acheter du saké dans l'immeuble Kazan. Mais je n'ai rencontré le directeur dont je vous ai parlé que trois ou quatre fois par an. Au cours de mes visites, j'ai appris qu'il s'occupait de la fabrique à Akita où se produisait le saké, tandis qu'il laissait son frère se charger du bureau de Tôkyô. Telle était l'organisation de la société Kazan Shûzô Kabushikigaisha. Je ne voyais donc pas très souvent ce directeur.

Comme mon père buvait beaucoup, dès mon entrée au lycée, je me suis évertuée à trouver du travail à temps partiel. J'enchaînais les petits boulots, une fois c'était dans un restaurant, le Kîbô, qui donne sur une grande avenue de Yotsuya, une autre dans un restaurant de *soba*[1], le Maruka. Mais je n'y restais jamais longtemps. Car mon père débarquait toujours dans l'établissement où je travaillais pour venir consommer de l'alcool, et comme c'était moi qui réglais pour lui au tarif des employés, mes patrons en avaient vite assez. Par conséquent, lorsque j'ai pu, grâce à votre soutien et à celui des autres professeurs, aider au lycée le responsable des cours par correspondance à faire tout le travail administratif, je me suis sentie soulagée : il n'y avait pas de saké à l'école. Je ne craignais plus de voir mon père débarquer constamment.

Et vous savez bien ce que je suis devenue ensuite. Dès que j'ai pris cet emploi, j'ai commencé à suivre les cours du soir. Au printemps dernier, j'ai eu mon

---

1. Nouilles de sarrasin.

diplôme, et j'ai continué à travailler dans le service des cours par correspondance. Vous m'invitiez au cinéma, nous allions voir ensemble des matchs de base-ball au stade du Kôrakuen, et j'étais très contente.

L'automne dernier – je me souviens exactement de la date, c'était le 10 août, le jour de la Fête nationale du sport – il y a eu une fête dans le lycée, et une soi-rée a été donnée dans la salle de cérémonie en l'hon-neur des professeurs et des employés. Comme mon père avait un comportement bizarre depuis quelques jours, je me suis éclipsée dès le début de la soirée. J'allais sortir mes chaussures du casier[1] quand j'ai trouvé votre lettre posée dessus. Et j'ai lu : « Je vou-drais m'engager avec vous dans une relation sérieuse en vue de nous marier. Je vous aime. » Je peux vous dire que les quarante minutes qui ont suivi jusqu'à mon arrivée chez moi à Yotsuya ont été le moment le plus heureux de ma vie.

Mais en entrant dans l'appartement, j'ai découvert mon père qui souffrait le martyre. Il se tordait de dou-leur par terre, il griffait les tatamis avec ses ongles au point d'en arracher la paille. Plus tard, le médecin m'a expliqué que la douleur ressentie quand on a des cal-culs biliaires et la douleur de l'inflammation du pan-créas étaient ce qu'il y a de pire, mais le visage de mon père était si effrayant que j'ai réellement cru pen-dant un moment qu'il était devenu un monstre.

A partir de ce jour-là, j'ai essayé de m'éloigner de vous autant que possible, mais vous aviez sans doute compris mes raisons. Moi aussi, je vous aimais.

---

1. Au Japon, on se déchausse dans tout établissement scolaire, et on range ses chaussures dans des casiers destinés à cet effet pour enfiler une sorte de chaussons.

Cependant, j'ai toujours mon père avec moi. C'est un homme qui commence à se faire vieux et il est devenu très irritable depuis qu'on lui interdit de boire du saké, un homme au teint terreux qui est toujours en train de marmonner assis par terre, le dos voûté, parce que la position allongée le fait trop souffrir, et dont l'haleine est une véritable infection… Même moi qui suis sa fille, je ne peux pas le supporter, alors, un étranger ne tiendrait pas une journée avec lui. Avais-je le droit de vous imposer un père pareil ? Mais me jeter dans vos bras en laissant tomber mon père… Non, cela non plus, je ne pouvais pas l'imaginer. Je suis donc demeurée près d'un an dans l'indécision.

Et cet été, une personne de la fabrique du saké Kazan s'est présentée chez moi à l'improviste. Et tandis que je me demandais ce que me voulait cette femme, je l'ai entendue me faire une proposition incroyable : « Je viens de la part de notre directeur, qui vous demande si vous accepteriez de devenir son épouse. »

Elle a poursuivi en m'expliquant qu'il avait perdu sa femme l'été dernier, en ajoutant : « Vous seriez donc sa deuxième épouse officiellement, mais étant donné qu'il n'a pas eu d'enfant de la précédente, eh bien, ce serait presque comme un premier mariage, vous ne croyez pas ? Naturellement, vous lui plaisez depuis longtemps. Vous deviez vous en douter puisque cela fait huit ans qu'il vous fait quatre-vingt pour cent de réduction sur le prix des bouteilles de Kazan. Mais pendant toutes ces années, il était marié bien sûr, il n'allait donc pas montrer son attirance pour vous. Il pense à votre père également. Il dit qu'il lui trouvera une place dans le meilleur hôpital d'Akita et qu'il fera tout pour s'en occuper de son mieux. Une fois que votre père sera guéri, il pourra se rétablir dans la pension ou la maison de son choix appartenant à notre société dans la banlieue d'Akita. La fabrique et la maison mère se trouvent dans une petite ville située à une demi-heure à l'est d'Akita, et vous commenceriez sans doute par habiter dans une pension de la ville d'Akita pendant un mois environ avant de venir vous marier dans celle où se trouve la maison mère. Je vais vous paraître indiscrète, mais permettez-moi de vous dire que vous feriez ce qu'on appelle un beau mariage. Au lieu de me répondre qu'à notre époque une jeune fille ne se laisse plus tenter par ce genre de proposition comme au début de l'ère Shôwa[1] prenez tout de même le temps d'y réfléchir. Moi-même je souhaite que vous acceptiez. Notre directeur aura bientôt quarante ans, il lui faut absolument un héritier pour prendre sa succession dans l'avenir. Et de ce point de vue, vous me semblez faite pour avoir des enfants, mais on doit reconnaître que la beauté porte chance… »

Je sais qu'ils ont tout simplement besoin de moi pour être une machine à fabriquer un héritier. Et je suppose que chez les notables de province, il ne doit pas être évident d'épouser une fille de famille en secondes noces. Mais ce qui m'a poussée à accepter finalement, c'est sa promesse de se charger entièrement de mon père.

Je me suis donc décidée à vous écrire cette longue lettre. Je dois prendre avec mon père l'express *Tsubasa* n° 1 à huit heures quatre au départ d'Ueno pour Akita. Mais je vois qu'il est déjà quatre heures du matin, je vais le réveiller doucement pour l'aider à se préparer. Je voudrais que vous me pardonniez de partir ainsi. Et je prie de tout mon cœur pour que vous soyez heureux. Depuis quatre nuits, je fais le même rêve : j'assiste à votre cours d'anglais et vous me posez cette question : « Dites-moi ce que signifie le mot *love* ? » mais je ne peux jamais y répondre, et je reste sans voix… Au revoir.

Mihoko Nagata

2
(Texte imprimé)

Le 20 octobre an 51, ère Shôwa

A l'attention de M. le professeur Tadao Takahashi

Cher Monsieur,

En cette saison où les chrysanthèmes exhalent leur parfum, nous sommes heureux de vous souhaiter santé et prospérité.

En présence de M. Senzaburô Oda, notre maire, et de Mme son épouse, M. Kazumi Yokoigawa, fils aîné de M. Takazaemon Yokoigawa, et Mlle Mihoko Nagata, fille aînée de Tokizô Nagata, ont célébré leur mariage, après la promesse solennelle échangée entre les futurs époux, au temple shintoïste Shinzan de la ville de Kaneda. Nous vous prions de bien vouloir nous faire l'honneur de vous joindre à nous par la pensée pour célébrer leur union. Nous vous remercions humblement en même temps que nous vous annonçons ce mariage, si modeste notre lettre soit-elle.

Veuillez agréer, cher Monsieur, l'expression de notre profond respect.

Takazaemon Yokoigawa, Directeur général
de Kazan Shûzô Kabushikigaisha
Tokizô Nagata

---

1. 1977. Nous avons conservé la date à la japonaise pour les lettres plus officielles.

187

3
(Texte imprimé)

Le 1er novembre an 51, ère Shôwa
A l'attention de M. le professeur Tadao Takahashi

Cher Monsieur,
Nous avons l'immense plaisir de vous souhaiter une excellente santé.

A l'occasion de notre mariage, nous avons reçu de votre part une lettre de félicitations d'une délicate politesse, mais aussi un cadeau chargé de sentiments, et nous vous en remercions vivement. Nous en prendrons le plus grand soin. Nous sommes encore débutants dans tant de domaines, mais veuillez nous le pardonner alors même que nous vous demandons de bien vouloir nous faire bénéficier de vos connaissances.

Notre voyage de noces nous a conduits sur la côte ouest des Etats-Unis, d'où nous vous avons envoyé une bouteille de vin californien. Veuillez accepter ce bien modeste présent en signe de notre profonde reconnaissance.

Accordez à votre santé tous les soins qu'elle mérite en cette saison, et nous prions pour que toute votre famille préserve également une santé excellente.

Ce bref courrier accompagne nos chaleureux remerciements.

Kazumi Yokoigawa
et Mihoko Yokoigawa

4
(Double avec papier carbone)

Le 15 décembre an 51, ère Shôwa
A l'attention de M. Tadao Takahashi

Permettez-moi d'abord de vous remercier vivement pour vos lettres d'encouragement à l'occasion de l'hospitalisation de mon père. Les médecins ont failli un moment perdre tout espoir. Effondrés d'inquiétude, mon mari et moi-même ne cessions de nous lamenter, mais grâce aux trois importantes opérations qu'il a subies, mon père se trouve aujourd'hui hors de danger, et vous devinez notre joie en apprenant qu'il est sauvé.

Depuis, son état s'améliore de jour en jour, et il est sorti de l'hôpital le 8 de ce mois. Il n'est pas encore tout à fait rétabli, mais dès qu'il fait beau temps, il sort dans le jardin de sa pension pour s'occuper des plantes. Soyez donc tout à fait rassuré.

Par ailleurs, nous vous avons envoyé un assortiment de champignons secs, spécialité de notre région, afin de vous remercier de vos très gentilles lettres d'encouragement. Nous espérons que vous les apprécierez.

Kazumi et Mihoko Yokoigawa

5

(Ecrit à la main)

Le 1er janvier 1978

Professeur Tadao Takahashi,

Je vous présente mes meilleurs vœux pour cette année. J'ai lu avec grand plaisir votre carte si chaleureuse qui m'est parvenue très tôt. J'ai la joie d'apprendre que la nouvelle année vous trouve en pleine santé et sans souci majeur, ce dont je vous félicite. De notre côté, nous comptons un an[1] de plus comme tout le monde, mais soyez rassuré, sans problème particulier.

Cela fait six mois que nous ne nous sommes pas vus. J'ai entendu dire qu'au printemps prochain, se tiendrait une réunion des anciens élèves de la classe. Je souhaite venir à Tôkyô à cette occasion. J'aurai beaucoup de choses à vous raconter. Portez-vous bien en attendant ce moment.

Mihoko Yokoigawa

6

(Double avec papier carbone)

Le 3 mars an 52, ère Shôwa

A l'attention du responsable
de la réunion des anciens élèves

L'annonce de la prochaine réunion des anciens élèves m'a vivement touchée, et je vous remercie de

---

1. Traditionnellement, tous les Japonais ont une année de plus au Nouvel An.

m'en avoir fait part. Quoi de plus merveilleux pour des camarades de classe que de se réunir une fois l'an, d'évoquer leurs souvenirs chargés d'émotion et de raconter en toute simplicité leur vie actuelle[1]. Combien j'aurais aimé y participer, mais je suis enceinte depuis deux mois, et je me sens un peu fatiguée. Certes, je pourrais surmonter cette fatigue et me joindre à vous, mais mon mari, mon beau-père et toute la famille me recommandent de prendre des précautions. J'ai donc l'immense regret de vous annoncer mon absence cette fois-ci. Veuillez transmettre mon cordial bonjour à chacun. Et saluez bien de ma part M. le professeur Tadao Takahashi. Tous mes vœux pour une fête réussie vous accompagnent.

Mihoko Yokoigawa

7
(Double avec papier carbone)

Le 18 avril an 52, ère Shôwa,

*A l'attention de Mademoiselle Saori Naitô,
hôtesse au bar Emu 3-3 Nakamichi, Akita-shi*

Mademoiselle,

Après un long moment d'hésitation, je vous adresse cette lettre. Je vous prierais de la lire jusqu'à la fin, et d'y apporter une réponse. Vous pardonnerez ce préambule qui peut vous paraître quelque peu insolent, mais vous permettra de comprendre le motif de ce courrier.

---

1. Une aussi jolie formule en début de lettre laisse entendre un refus en japonais.

J'ai pris plus ou moins conscience de votre liaison avec mon époux dès mon arrivée à Kazan, cependant je ne m'attendais pas à une attitude aussi provocante de votre part lorsque, il y a quelque temps de cela, vous êtes partie en voyage avec mon mari dans une station thermale. Je croyais à une simple aventure passagère, et décidai de ne rien dire, de dissimuler à ses yeux ma jalousie, marque d'inélégance s'il en fût.

A l'évocation de cette situation, vous allez sans doute me répondre que si mon mari s'est intéressé à une autre femme, c'est parce que j'ai manqué de prévenance et d'attention envers lui. Et j'imagine que vous allez protester vivement en répliquant que c'est en fait un véritable élan spontané qui s'est manifesté entre deux êtres, et que par conséquent, vous n'avez aucun ordre à recevoir de moi.

Vous auriez parfaitement raison, car je ne me suis pas montrée suffisamment proche de mon mari. Si vous me disiez de reprendre Kazuo par mes propres moyens et mon amour, je n'aurais rien à répliquer. Mais les relations conjugales ne sont pas aussi simples qu'on le croit généralement. Vous avez certes besoin de mon mari, mais j'ai quant à moi bien davantage encore besoin qu'il revienne dans sa famille, et pour l'enfant qui va naître.

Je suis prête à subir votre mépris et vos reproches à propos de mon manque d'élégance. Mais je vous prierais à l'avenir de vous éloigner définitivement de mon mari. Sachez que vous ne réaliserez votre bonheur véritable qu'en trouvant votre voie personnelle.

Veuillez m'excuser de ne vous laisser aucune possibilité de vous défendre, car dans ce genre de situation, la responsabilité revient finalement autant à la femme séduite qu'au mari.

Je vous le demande expressément à nouveau et en toute humilité, prenez la décision de ne plus revoir mon époux. J'ai honte de sembler négliger vos sentiments, et si cette lettre vous paraît gauche, riez-en et imputez cette maladresse à une femme qui manque d'éducation. J'espère que vous saurez comprendre et adopter l'attitude qui convient.

Veuillez agréer mes salutations distinguées.

Mihoko Yokoigawa

8
(Texte imprimé)

Le 11 mai an 52, ère Shôwa

A l'attention de M. Tadao Takahashi

J'ai la douleur de vous faire part du décès de mon père Tokizô Nagata qui a succombé brusquement des suites d'un cancer du pancréas à l'hôpital central d'Akita, Chiakikubota-chô, Akita-shi, le 6 mai à seize heures trente. J'accompagne cette triste nouvelle de vifs remerciements pour la gentillesse dont vous l'avez honoré de son vivant. L'enterrement a eu lieu le 9 mai dans la plus stricte intimité, et je sollicite votre compréhension à cet égard.

Mihoko Yokoigawa
(nom de jeune fille Nagata)

9

(Texte imprimé)

Le 15 mai an 52, ère Shôwa

A l'attention de M. Tadao Takahashi

Cher Monsieur,
Votre aimable lettre de condoléances m'a touchée,
et je vous en remercie d'autant plus vivement que
vous y avez joint des offrandes. Après m'être longtemps consacrée à le soigner, j'ai été bouleversée en
constatant que tout espoir de le voir se rétablir était
devenu vain. Je vais désormais passer mon temps à
prier pour le repos de son âme. Je vous demande
humblement de bien vouloir me guider, et vous en
suis d'avance reconnaissante.
Veuillez agréer mes sentiments distingués.

Mihoko Yokoigawa

10

(Texte imprimé)

Le 30 mai an 52, ère Shôwa

Monsieur Tadao Takahashi,
Je vous remercie de votre geste aussi prompt que
généreux à la suite de l'incendie que nous avons subi.
Par chance, soyez rassuré, nous sommes tous sains et
saufs. La nuit du désastre, le vent ne soufflait fort
heureusement pas trop fort, le feu a été circonscrit
après la destruction partielle de l'usine.
La police et les pompiers de la ville de Kaneda
mènent l'enquête pour déterminer les causes de ce

sinistre, mais quoi qu'il en soit, nous sommes responsables, et cela nous servira de leçon. Nous avons
décidé de renforcer la sécurité pour éviter qu'un tel
accident ne se reproduise. Nous nous excusons de
vous avoir causé de l'inquiétude et vous remercions
vivement de vous être si chaleureusement manifesté.

Takazaemon Yokoigawa et Kazumi
Yokoigawa

11

(Ecrite à la main)

Le 1er juin 1978

Monsieur Tadao Takahashi,
Je quitte l'hôpital de Kaneda aujourd'hui. Sans
doute à cause de ces soucis successifs, découverte de
la maîtresse de mon mari, décès de mon père, incendie mystérieux de l'usine, j'ai perdu mon bébé. Mon
beau-père m'a dit que vous étiez venu me voir à la
maison mère de Kazan pendant mon hospitalisation,
et je vous en remercie. Veuillez m'excuser de vous
avoir causé du souci. Il paraît que mon beau-père,
prétextant que les visites étaient interdites, vous
aurait demandé de ne pas insister pour me voir, mais
mon état de santé n'était pourtant pas aussi sérieux
que cela. Simplement, je ne pourrai sans doute plus
avoir d'enfant.

Par ailleurs, le pyromane de l'usine a été arrêté. Il
s'agit d'une hôtesse de bar qui travaillait à Akita, une
femme de vingt-trois ans du nom de Saori Naito. Un
jour, je vous avais envoyé le double d'une lettre que
j'avais écrite à cette femme. Vous comprendrez

qu'elle a mis le feu pour se venger de mon mari qui lui avait parlé de rupture. Mon beau-père et mon mari s'acharnent à étouffer cette affaire car ce serait la honte de la famille Yokoigawa si les journaux venaient à en parler.

A propos, lorsque vous êtes venu à Kaneda sans me prévenir, était-ce pour une affaire urgente ou dans le but de me voir parce que vous étiez inquiet pour votre ancienne élève victime de tant de drames ? Si vous aviez quelque chose à me dire, j'espère que vous m'en ferez part. J'aurais encore beaucoup à vous écrire, mais je suis fatiguée, et ma plume me semble si lourde. Portez-vous bien.

Mihoko Yokoigawa

12
(Texte imprimé)

Le 10 novembre an 52, ère Shôwa

Monsieur Tadao Takahashi,

Nous sommes à la saison où les arbres perdent leurs feuilles.

Après nous être concertés, nous avons soumis au tribunal de la famille une demande de divorce par consentement mutuel, demande acceptée en date du 7 novembre. Ici s'interrompt notre vie commune d'une année et désormais, nous suivrons séparément nos chemins.

Nous vous remercions très sincèrement de votre chaleureux enseignement et votre soutien constant nous sera encore très précieux dans l'avenir.

De ce fait, Mihoko a repris son nom de jeune fille, Nagata.

Ayez l'amabilité de noter nos nouvelles adresses :

Kazumi Yokoigawa, 1666 Kaneda-chô Kawabe-gun, Akita-ken

Mihoko Nagata, Appartement Hara, 6-3 Kagitori, Sendai-shi

13

(Ecrite à la main)

Le 10 novembre 1978

Monsieur Tadao Takahashi,

Voilà longtemps que je ne vous avais pas écrit. Vous avez dû recevoir une lettre de Kaneda annonçant notre divorce, et comme je ne peux plus avoir d'enfant, la famille Yokoigawa n'a de toute évidence plus rien à faire de moi. Moyennant deux millions de yens d'indemnité, ils m'ont chassée de Kaneda. Naturellement, j'aurais pu jouer les femmes éplorées pour essayer de rester. Mais je les ai perturbés avec mon père, et ils m'ont alors aidée. Quoi qu'il en soit, c'est la voie que j'ai choisie, et il ne servirait à rien de me lamenter. A la fin du mois dernier, je suis arrivée à Sendai, déterminée. Une infirmière, particulièrement gentille avec mon père à l'hôpital d'Akita, est diplômée de l'école supérieure de l'hôpital public Miyagino à Sendai, et sous son influence, j'ai pris la décision d'apprendre ce métier. Je n'ai que vingt et un ans, il me reste suffisamment de temps pour commencer une vie nouvelle. L'examen d'entrée a lieu au printemps prochain. Actuellement, je vais pendant la journée en classe préparatoire, et le soir je travaille comme vendeuse dans un supermarché du quartier. Je suis

197

donc très occupée, et passe mon temps à courir sur ma bicyclette.

Cependant, j'ai été surprise par la famille Yokoigawa. Les vieilles traditions restent encore pour eux très vivaces. La fabrique compte dix-sept employés, parmi lesquels les artisans qui se consacrent à la préparation du saké. Au moment des repas, chacun se retrouve placé en fonction de son ancienneté assis sur le plancher à larges lattes de la cuisine, et mange devant une petite table basse individuelle à l'ancienne. Cette pièce s'ouvre sur la salle à manger où se tient la famille Yokoigawa, et là aussi, l'ordre des boîtes à repas individuelles est toujours le même. A la place d'honneur, devant l'autel domestique, s'installe le chef de famille, M. Takazaemon, puis viennent Kazumi, et Hirauemon, son frère cadet, etc. Les femmes se tiennent le plus loin possible des places d'honneur, près de la cuisine, et moi, je me retrouvais toujours à la lisière de la salle à manger et de la cuisine.

Ce qui m'a le plus étonnée, c'est la loi familiale selon laquelle tout courrier écrit par l'un des membres était copié et conservé. Les riches de la campagne sont craintifs, ils gardent des preuves pour éviter que leurs lettres ne puissent être retenues contre eux. En outre, la tradition veut qu'une lettre se réfère toujours au modèle d'une autre lettre écrite par cette famille dans le passé. Ainsi, pour rédiger ma lettre de protestation adressée à la maîtresse de mon mari, j'ai dû reprendre un modèle remontant à l'époque Taishô. M. Takazaemon m'avait dit de copier mot à mot la lettre écrite par la femme d'un autre Takazaemon, chef de famille d'une génération précédente, quand le mari de celle-ci avait commencé à entretenir une geisha d'Akita. En m'exécutant, j'ai vite trouvé cela absurde. Il est insensé qu'un chef de famille lise toutes les lettres quel qu'en soit le destinataire. Mais si une telle chose est acceptée, c'est peut-être comme me l'a expliqué cette infirmière de l'hôpital central parce que les préfectures d'Akita et de Yamagata sont les régions qui ont été le moins touchées par les changements d'après-guerre. Regardez, les gros propriétaires fonciers de l'avant-guerre sont toujours aussi riches aujourd'hui.

Mais assez parlé de ces « vieilles histoires », je dois me mettre au travail pour commencer ma nouvelle vie.

Si vous venez à Sendai, faites-le moi savoir. Je vous guiderai dans la capitale *mori ni miyako*[1]. Je pourrais vous offrir sur la table un poisson fraîchement pêché dans la rivière Hirose qui traverse la ville. Voyez comme la ville est propre. Je crois qu'elle vous plairait aussi. Portez-vous bien, et merci de me répondre si vous avez le temps.

Mihoko Nagata

Note de l'auteur : les lettres numérotées de 2 à 12 ont toutes été copiées dans des livres de lettres modèles, y compris la 7.

---

1. Littéralement « la capitale des forêts ».

X

NEIGE ET BOUE

1

Le 11 septembre

Madame Masako Tsuno,

Fallait-il ou non vous envoyer cette lettre ? J'ai longuement réfléchi à ce sujet. Car autrefois, vous en souvenez-vous, j'ai subi un affront précisément en vous écrivant une lettre, et cela je ne l'ai jamais oublié.

C'était il y a vingt-cinq ans, je fréquentais le lycée public de Sendai en troisième année. Il existe dans la préfecture de Miyagi une curieuse habitude qui veut que, contrairement aux écoles élémentaires et aux collèges, les lycées ne soient pas mixtes mais divisés en établissements pour filles et pour garçons. Il paraît que cela n'a pas changé, ce qui me semble aberrant. Mais toujours est-il que moi qui habitais dans le nord de Sendai, je me rendais dans un lycée de garçons qui se trouvait à la périphérie sud-est de la ville. A proximité de notre école, il y avait un lycée de filles qui était également un établissement public, et connu pour ses élèves belles et intelligentes. Chaque fois que je passais devant le bâtiment, j'étais tout excité. Certains de mes camarades, des gais lurons, traînaient bruyamment leurs lourdes et hautes geta, tandis que les bons élèves, ceux que leurs résultats scolaires mettaient en confiance, sortaient de leur sac un répertoire de mots anglais pour jouer à Ninomiya Kinjirô[1]. De son côté, la bande des dragueurs (votre mari, M. Tsuno, devait faire partie de cette catégorie) lançait ouvertement de triviales plaisanteries aux filles qui s'empressaient de rentrer dans l'école. Quant aux élèves moyens sans qualité particulière (dont j'étais), ils passaient tout simplement d'un pas rapide en rougissant... Tel était le spectacle qui se déroulait tous les matins dans le quartier du lycée de filles.

A une époque, je suis tombé amoureux d'une lycéenne. L'hiver venu, comme cette fille allait à l'école le visage protégé jusqu'aux yeux par un épais tissu à carreaux rouges et noirs de forme triangulaire, nous la surnommions « *Sankakukin*[2] », et je ne sais pour quelle raison, j'ai fini par ne plus penser qu'à elle. Mais ce n'était en fait qu'un amour à sens unique dont elle ignorait l'existence, et je réglais l'heure de mon départ de la maison ou ma vitesse de marche de façon à la croiser en chemin. Ce n'était rien de plus.

Un dimanche d'hiver, je l'ai rencontrée par hasard dans une librairie d'un quartier animé. Ce jour-là, elle ne portait pas son uniforme habituel de lycéenne, et avait vraiment l'air d'une adulte. Elle m'a semblée si belle que j'en eus le souffle coupé. Et me voyant, elle a même esquissé un sourire. Par la suite, j'allais

---

1. Agriculteur à la fin de l'époque Edo. Très vertueux, il allait ramasser les branches dans la montagne, et il rentrait au village avec son fardeau sur le dos tout en lisant pendant sa marche. Il a créé son école de pensée en se référant au bouddhisme, au confucianisme et au shintoïsme. Sa statue figurait souvent autrefois dans les écoles.

2. « Le foulard triangulaire ».

comprendre que je m'étais sûrement fait des illusions, mais à cet instant précis en tout cas, j'ai eu l'impression qu'elle m'adressait un véritable sourire. Je suis devenu tout fiévreux, et le soir, après avoir usé plusieurs feuilles de papier, j'ai réussi à rédiger une lettre d'amour où j'écrivais à peu près ceci : « Plus tard, je voudrais travailler dans le commerce international, et dans ce but, j'apprends, en plus de l'anglais, l'allemand et le français. Si ce genre de garçon vous convient, accepteriez-vous de sortir avec moi ? Mais j'aimerais avant tout connaître votre nom et votre adresse. Je vous remercie d'envoyer une réponse à l'adresse indiquée ci-dessous. » Et puis, quelques jours plus tard, un matin, j'ai eu l'occasion de marcher à côté de Sankakukin en allant à l'école, et j'ai donc rassemblé tout mon courage pour lui tendre cette lettre qu'elle a saisie alors entre deux doigts comme s'il s'agissait d'un chiffon sale et lâchée aussitôt sans un mot. Pire encore, elle a piétinée plusieurs fois du talon de sa botte ma lettre tombée dans la neige fondue et sale avant de pénétrer en courant dans son école.

Est arrivé ensuite le jour de la remise des diplômes. Après la cérémonie, nous avons organisé une réunion pour remercier notre professeur dans une salle au premier étage d'un restaurant de *soba* près de l'école. A cette occasion, Tsuno est venu vers moi en souriant pour me dire : « Dis donc, en ce moment je sors avec une fille du lycée qui s'appelle Masako Funayama. Il paraît que tu as voulu lui donner une lettre d'amour il n'y a pas longtemps ! » Je n'ai pas pu m'empêcher de rougir. Mais vous en souvenez-vous de tout cela, car cette Sankakukin qui a piétiné ma lettre, c'était vous.

Mais je n'ai pas pris mon stylo pour étaler des rancœurs d'il y a vingt-cinq ans. C'est la nostalgie qui m'envahit et m'incite à écrire cette lettre. Récemment, j'ai participé à une réunion des anciens élèves à Sendai. A cause de mon travail (je passe la moitié de l'année à l'étranger), je n'avais encore jamais pu y assister, et cette première fois, je m'y suis beaucoup amusé. Pendant toute la journée, j'ai bu de l'alcool à en perdre la tête, et j'ai rencontré Tsuno, ce qui m'a rappelé naturellement votre existence. Il m'a murmuré à l'oreille que cela ne marchait pas très fort avec sa femme ces temps-ci. Mais dit-il la vérité ? Comme il a tendance à se conduire en mauvais garçon, il m'est difficile de prendre ce qu'il dit au pied de la lettre.

Ce courrier est truffé de bêtises. Veuillez m'en excuser, et pour me faire pardonner, je vous ai envoyé par colis séparé un agenda Hermès de Paris avec couverture en cuir. C'est un article que la société d'importation en fournitures de bureau que je dirige vend à la maison mère de Mitsukoshi[1] et à Seibu Pisa. J'espère qu'il vous plaira. Si vous souhaitez me répondre, je serais ravi que vous m'adressiez votre lettre à la « Société de commerce Saeki, Tour Yûshin, 3-12-8 Akasaka Minato-ku ». Je suis toujours célibataire et je dors dans un coin du bureau. Bien que j'ai tout de même un soi-disant logement à Kugayama. Prenez grand soin de vous.

Takayuki Saeki

---

1. Célèbre grand magasin.

Le 14 septembre

Monsieur Takayuki Saeki,

Je vous remercie de votre lettre. Veuillez m'excuser
car je ne me rappelle nullement avoir reçu de vous une
lettre d'amour. Cependant, il faut dire qu'à cette
époque, même si cela peut paraître étonnant, j'en recevais tous les jours. Peut-être me remarquait-on à cause
de mon teint clair, mais toujours est-il que leur nombre
devait largement dépasser la centaine. On ne peut donc
pas me demander de me souvenir de chacune. Si je
n'avais pas été habituée à en recevoir autant, j'aurais
rapportée votre lettre chez moi et je l'aurais lue bien
sûr, mais à dix-huit ans, j'étais déjà blasée, et dès que
j'en recevais une, soit je la déchirais, soit je la jetais
immédiatement. J'imagine que mon mari Tsuno le
savait bien, car il m'a séduite non pas en m'écrivant,
mais avec de belles paroles. J'ai donc eu envie de sortir
avec lui. Et je me suis mariée à la fin de mon cursus de
deux années à l'université de Miyakuin. Mon mari travaillait alors dans une petite entreprise de construction
à Nakano dans Tôkyô. Cela fait quinze ans qu'il s'est
lancé dans le bâtiment en indépendant, et il a aussi
maintenant une société de travaux routiers. Il paraît que
son entreprise de construction est en difficulté, en
revanche son autre société semble saine. Mon mari
vous aurait dit que cela ne marchait pas très fort avec sa
femme ces temps-ci, mais cela m'étonne vraiment.

Merci pour l'agenda Hermès. Du veau retourné
noir, et en plus cousu main. Il est magnifique. Je le
conserverai précieusement.

Masako Tsuno

Le 18 septembre

Madame Masako Tsuno,

Il semble que les paroles de Tsuno au sujet de vos relations conjugales que je me suis pourtant contenté de répéter mot pour mot vous ait causé du désagrément. Si cela vous a froissé, je vous dois toutes mes excuses, mais sachez cependant que je ne peux m'empêcher de penser à vous.

Parmi mes anciens camarades de classe, il y a un homme d'affaires qui s'appelle Shintarô Satô. Ce dernier est ami avec Tsuno, et il est allé au moins quatre ou cinq fois chez vous. Ce Satô m'a dit un jour qu'il plaignait son épouse Masako d'être dans cette situation. D'après lui, Tsuno collectionne les femmes. Je vous en parle parce que M. Satô m'a assuré que vous étiez au courant. Il paraît que Tsuno a une maîtresse depuis dix ans. Il a séduit une employée de son entreprise, c'est une chose qui arrive, mais il s'est empêtré d'une femme qu'il ne parvient plus à quitter. Et non seulement il s'est embourbé dans cette liaison, mais il laisse cette femme qui détient solidement les livres de compte et la clé du coffre de l'entreprise de construction et de la société de travaux routiers, se donner des airs importants au point de se prendre pour la présidente. Voilà ce que m'a dit Satô. Il trouve cette situation lamentable et il a demandé avec colère à votre mari comment celui-ci pouvait supporter qu'une femme de vingt-sept, vingt-huit ans mène par le bout du nez un homme âgé d'une quarantaine d'années. Si tout cela est vrai, c'est terrible.

Vous étiez autrefois la Sankakukin, celle que nous admirions tous, nous les lycéens. En un mot, vous étiez la Madone. Et je trouve inadmissible de la voir traitée de cette manière. Je vais bientôt faire venir Tsuno avec Satô pour lui faire un peu la morale.

La société de travaux routiers marche bien apparemment et j'en suis ravi. Ma société marche à merveille également, grâce au soutien du yen fort, et nous sommes passés de cinq à sept employés. L'un d'eux qui était en voyages d'affaires à Paris pour acheter des stylos et des crayons de chez Dior, vient de rentrer. Je vous envoie par colis séparé un stylo à bille de chez Dior. Il porte un dessin original représentant les quatre nouvelles ceintures de la marque et cet article sera en vente dans le magasin Itôya à Ginza. Quand vous aurez besoin d'une nouvelle recharge, n'hésitez pas à me le dire. Je vous en enverrai une par retour de courrier. Portez-vous bien.

Takayuki Saeki

4

Le 3 octobre

Monsieur Takayuki Saeki,

Voilà plus de deux semaines que je ne vous ai pas écrit. Excusez-moi. Le crayon à bille de chez Dior que vous m'avez offert est très pratique et j'en prends le plus grand soin. On dirait qu'il glisse sur le papier, et il ne fait aucune tache d'encre, j'en suis vraiment très contente.

Hier soir, mon mari est rentré à la maison, ce qui ne lui était pas arrivé depuis longtemps. Je note sur un calendrier les nuits où il ne rentre pas chez lui. D'après mes notes, c'était la vingt-septième. Et puisque j'en parle, autant tout vous raconter : mon mari dort dans un appartement de Wakaba-chô à Yotsuya. Il habite avec cette employée qui s'appelle Tomoko Mizuhara. Bien que je n'ai pas très envie de le reconnaître à présent, je dois tout de même vous avouer qu'à une certaine période je la trouvais plutôt belle et très gentille (mais je ne l'ai pas vue depuis quatre ou cinq ans, j'ignore quel genre de femme elle est devenue maintenant). Donc, à l'époque où elle venait d'entrer dans la société de mon mari, je m'en suis occupée comme s'il s'agissait de ma propre sœur. Je savais qu'elle venait de Yamanashi et qu'elle habitait seule dans un foyer, je l'invitais par conséquent chez moi le week-end et lui offrais de bons petits plats ou bien mes vieilles robes et même mes sous-vêtements. Je faisais ce que je pouvais pour elle. Je ne sais pas si vous êtes au courant, mais nous n'avons pas d'enfant. Mon mari et moi avons consulté le médecin, qui n'a pourtant diagnostiqué aucune anomalie chez l'un ou chez l'autre. Et nous vivions avec cette tristesse en nous – encore que mon mari semblait avoir de temps en temps des aventures – et l'arrivée soudaine d'une jeune fille adorable à la maison nous a littéralement enthousiasmés.

Mais deux ans plus tard, j'ai commencé à voir son corps se transformer. Ce changement est un événement béni par tous quand il suit les formalités habituelles du mariage – excusez-moi d'employer des termes détournés pour expliquer qu'en un mot, elle était tombée enceinte. Et simultanément, mon mari a changé bizarrement de comportement. Il est soudain devenu distant avec moi, il ne m'approchait plus. Quand j'avais le dos tourné, il lui mettait le bras autour du cou, il lui susurrait des mots à l'oreille. J'ai alors eu un déclic. Le père du bébé qui était en train de pousser dans son ventre était mon mari. Je l'ai injuriée, je l'ai saisie par les cheveux et traînée par terre, et à la fin j'ai avalé des somnifères et je me suis ouvert les veines. Mais je ne suis pas morte… et, ironie du sort, c'est mon mari qui m'a découverte à temps et soignée avec dévouement. Peu après ma sortie d'hôpital, il m'a dit les mots suivants : « Je suis désolé de te faire autant souffrir. Mais après ce qui s'est passé, je dois assumer mes responsabilités. Tomoko va mettre un enfant au monde, et je sais que ce nouveau coup va te rendre furieuse, mais accepterais-tu de divorcer ? Je te laisserai naturellement cette maison, et je m'arrangerai pour subvenir à tes besoins afin que tu puisses toujours manger à ta faim. » J'ai refusé. Je l'ai foudroyé du regard en lui disant que, quoi qu'il arrive, je n'apposerai jamais mon sceau en bas de la déclaration de divorce. Depuis, mon mari revient en général à la maison les deux ou trois premiers jours de la semaine, et il passe le reste du temps dans l'appartement de l'autre femme.

Ces temps-ci, il m'arrive de penser que je n'avais vraiment pas besoin de refuser le divorce avec autant d'acharnement. J'aurais dû quitter mon mari en me disant que cet homme n'en valait pas la peine. Mais je ne peux pas lui pardonner d'avoir pris l'enfant comme prétexte pour divorcer en m'annonçant que Tomoko allait mettre un enfant au monde… On dit que les souris elles-mêmes, quand elles s'aperçoivent que toutes les issues pour prendre la fuite ont été obstruées, se retournent contre n'importe quoi, et peu importe si ce sont des chats ou des humains. Ainsi, pour punir mon mari de m'avoir piqué au vif là où je suis le plus vulnérable, je ne le quitterai jamais, et ce jusqu'à ma mort. Vous devez trouver qu'il s'agit d'un entêtement ridicule, mais je ne céderai pas. Et chaque fois que je sens ma volonté faiblir, je me convaincs de ne pas m'arrêter en plein milieu alors que j'ai fait tant d'efforts jusqu'ici. Mais comme ce stylo que vous m'avez offert et qui semble glisser tout seul sur le papier, je me suis laissée aller à vous raconter des choses sans intérêt. Donc, en résumé, mon mari s'est plaint hier soir auprès de moi que Satô et vous l'aviez fait venir, tout simplement pour lui faire la morale. J'ai appris de sa bouche que Saeki l'avait attaqué de front, le visage rouge de colère, en lui disant : « T'est-il arrivé au moins une fois de te mettre à la place de ta femme pour réfléchir à sa situation ? » Mon mari m'a rapporté qu'il s'était écrié : « Décidément, les amis sont envahissants ! » Mais je le connais depuis suffisamment longtemps pour comprendre aisément que, malgré son ton irrité, il éprouvait au fond un sentiment de reconnaissance envers ses amis. Mais il a une autre idée derrière la tête, en se montrant ainsi reconnaissant envers vous : il essaie en fait de me faire croire qu'il se remet en cause. Et pourquoi ? Pour m'attendrir. Ce qu'il veut en réalité, c'est me manipuler sur le plan sentimental et en profiter pour m'inciter à apposer mon sceau en bas de la déclaration de divorce. Il agit toujours ainsi, je ne peux donc pas relâcher ma vigilance.

Mon stylo à bille a encore glissé trop facilement sur le papier. J'avais pourtant commencé à vous écrire cette lettre pour vous remercier sincèrement des conseils que vous aviez donnés à mon mari. A ce propos, je vous ai cherché sur la photo de classe du lycée collée dans l'album du diplôme de mon mari. Et j'ai vu que vous étiez beau garçon. Je me demande où je regardais à cette époque, quand vous m'avez

donné votre lettre, il y a vingt-cinq ans Il me semble
que je ne savais pas encore ce qui était beau ou laid.

Masako Tsuno

5

Le 7 octobre

Madame Masako Tsuno,
   Suite à votre lettre où vous m'annonciez que vous
ne quitteriez jamais votre mari et que vous aviez fermement l'intention de rester sur vos positions, j'ai
médité pendant plusieurs jours. Qu'est-ce qui vous
poussait à faire preuve d'un tel entêtement ? La première raison est évidemment l'infidélité de Tsuno. Il
pourra toujours se justifier en disant qu'il voulait un
enfant, ou qu'il a été attiré par le corps d'une jeune
fille. Mais de toute façon, il s'est montré égoïste, et
c'est lui qui est en tort. Je vais pourtant vous dire,
tout en risquant de me faire rabrouer, que vous vous
enfermez dans un cadre de « femme entêtée à l'esprit
étroit ». Voilà ce que je ne peux m'empêcher de penser. Cessez de vivre en ayant pour moteur la vengeance. Car cet esprit de vengeance va se retourner
contre vous. Sortez plutôt à l'extérieur. Respirez l'air
libre du dehors. Il n'y a pas de nuit sans aube, ni de
marée sans reflux, et même si le vent du nord fait tomber les feuilles des arbres en hiver, le vent du sud au
printemps fait bientôt pousser à nouveau des bour-
geons sur ces arbres, et de la même manière, vous fini-
rez par oublier votre vengeance au bout de six mois.
Que penseriez-vous de venir travailler dans notre
entreprise ? Nous pourrions vous payer suffisamment

211

pour vous permettre de gagner correctement votre vie. Et Tsuno ferait sûrement quelque chose…

A présent, j'ai besoin d'un peu de courage avant de vous demander la chose suivante : pour sortir et respirer l'air libre, ne voudriez-vous pas faire une excursion avec moi ? Nous pourrions nous donner rendez-vous à l'hôtel Takayu dans la station thermale de Kaminoyama[1] à Yamagata, et fixer le jour au 20 octobre, à une heure de l'après-midi. Chaque année, à la fin du mois d'octobre, j'ai pour habitude de me rendre dans cet hôtel et de manger une montagne de champignons mousserons. On fait seulement revenir à la poêle avec beaucoup de beurre ces champignons fraîchement ramassés, aussi gros que le bout d'un balai en bambou, et on les accommode avec de la sauce de soja. Mais c'est un plat délicieux qui plaît à tout le monde, je le garantis. Le lendemain, la coutume veut que nous nous réunissions au bord de la rivière à proximité pour déguster des pommes de terre cuites à l'eau, mais comme j'imagine qu'il vous est difficile de vous absenter la nuit, venez seulement pour les champignons. Je suis sûr que cette sortie vous ferait plaisir. Et tout en mangeant les délices de la montagne, nous retracerons ensemble les plans de votre avenir. Naturellement, vous pouvez en parler à Tsuno si vous le souhaitez. Mais vous avez aussi la possibilité de venir sans le lui dire. Vous êtes libre de décider, et je prends sur moi la responsabilité de vous inviter à cette excursion. J'ai acheté une trentaine de sacs Louis Vuitton pour les offrir en cadeau de fin d'année à mes clients. Je vous en envoie un par colis séparé. J'aimerais que vous veniez avec ce sac. Il faut un peu plus de quatre heures pour aller d'Ueno à

---

1. Ville d'eaux très ancienne datant du Moyen Age.

Yamagata, il est donc tout à fait possible de faire l'aller-retour dans la journée. J'espère que vous répondrez à mon invitation. Au retour, votre sac sera sûrement plein de rêves pour l'avenir.

Takayuki Saeki

6

Le 15 octobre

Monsieur Takayuki Saeki,
Vous ne pouvez pas savoir à quel point votre gentille lettre m'a réconfortée, même si c'est vous pourtant qui me l'avez écrite. Depuis que je l'ai reçue, hier, j'ai changé de comportement. Il n'y a rien de plus triste en effet que de se faire à dîner seule dans la cuisine. Je me sens complètement différente maintenant, et je manie mon couteau en chantonnant *Nagisa no Sindbad*.

Et, ce qui est encore plus mystérieux, c'est que je ne m'énerve plus en me demandant si mon mari est chez cette fille, ce soir encore. J'aurais plutôt tendance à présent à lui dire : « Allez, fais ce que tu veux. » Sortir à l'extérieur, gagner sa vie en respirant un air libre… j'entends ces mots résonner dans mes oreilles comme si elles sifflaient. Comment n'ai-je pas pensé à une chose aussi simple jusqu'ici ? Quand je me pose cette question, j'en arrive à douter de moi-même.

J'irai à Yamagata. Et ce serait dommage de faire l'aller-retour dans la journée. Je vous tiendrai bien sûr compagnie jusqu'à la fin de ce festin aux pommes de terre dont vous me parlez. Mais c'est moi qui ai pris cette décision, ne vous sentez surtout pas chargé d'un

213

fardeau. J'ai plus de quarante ans. Je suis responsable de mes actes. Naturellement, je ne le dirai pas à Tsuno, c'est une expérience personnelle bien trop importante et qui n'arrive qu'une fois dans la vie. Je n'ai aucune raison de prévenir les autres ou de leur demander l'autorisation… En vous écrivant cela, je réalise que finalement, tout en détestant Tsuno, j'avais continué à dépendre de lui. Je n'arrive pas bien à me l'expliquer, mais ma seule raison d'être dans la vie était de l'ennuyer. C'est étrange de penser que jusqu'à maintenant toute ma vie dépendait de quelqu'un d'autre, mais je n'y avais jamais songé auparavant. Quelle femme stupide j'étais ! A l'époque où Tsuno a créé sa propre entreprise de construction, je l'aidais à la comptabilité. Ceux qui travaillaient là étaient des hommes au langage grossier. L'entrée en terre battue était toujours pleine de boue. Et je n'entendais que des histoires obscènes et vulgaires. C'était vraiment le monde de la boue. Je m'étais trompée de voie. J'aurais dû choisir comme compagnon de vie un employé, un journaliste ou un chercheur. Moi, j'étais faite pour le monde de la neige. Voilà ce que je me suis dit. Et j'ai fermé hermétiquement mon cœur au monde de mon mari. Quel péché d'arrogance. Cette femme, Tomoko Mizuhara, était peut-être un être envoyé sur terre par Dieu pour me punir de mon arrogance. Cela non plus, je ne m'en étais pas rendu compte avant de correspondre avec vous. La femme que je suis est d'une sottise incurable.

Le 20 octobre, j'irai à Yamagata avec le sac Louis Vuitton. Veuillez ne pas me considérer comme l'épouse de Tsuno. Essayez d'imaginer que je suis la lycéenne surnommée Sankakukin à qui vous aviez donné une lettre il y a vingt-cinq ans.

Masako Tsuno

Le 19 octobre à seize heures

Madame Masako,

Le jeune homme qui doit vous remettre cette lettre écrite à la hâte s'appelle Kôichi Miura et travaille dans ma société. Car on vient de m'apprendre qu'un de mes employés en poste à Paris connaissait des difficultés en France avec Hermès, et je dois partir là-bas dès ce soir avec un avion Air France. Personne ne peut se charger de régler le problème à ma place dans cette affaire qui s'annonce délicate et compliquée.

Aussi, cet après-midi, j'ai tout essayé pour vous trouver. J'ai même téléphoné à Tsuno. Mais lui m'a au contraire transmis le message selon lequel vous l'aviez prévenu que vous faisiez en effet un voyage avec des amis à Tôhoku entre le 18 et le 21. Il a ajouté qu'il ignorait où vous vous trouviez maintenant. En revanche, quand je l'ai entendu me demander : « Mais pourquoi tiens-tu tellement à savoir où elle est allée ? », ma première réaction a été de vouloir raccrocher en répondant « Oh non, c'était comme ça... je n'ai rien de particulier à lui dire... ». Mais je me suis aussitôt ravisé. Il l'apprendrait bien tôt ou tard. Et, à ce moment-là, ce serait terrible s'il déclarait : « Je ne peux pas te céder Masako. Je suis têtu comme tous les hommes, et cette fois-ci, c'est moi qui ne la quitterai pas. » J'ai alors pensé que l'honnêteté était la meilleure tactique.

Après avoir dit en préambule : « J'ai l'intention d'épouser Masako. Je ne lui ai pas encore demandé son avis, mais je suis sûr qu'elle sera d'accord. Car nous avons même décidé de passer la nuit prochaine dans une auberge de station thermale », je lui ai tout raconté, y compris notre correspondance. Tsuno s'est fâché tout rouge, mais je lui ai répété plusieurs fois : « C'est moi qui le lui ai proposé, je suis le premier responsable. Je dois malheureusement aller à Paris à cause d'une affaire urgente, mais dès mon retour, on en reparlera pour mettre les choses au point. Attends donc que je sois revenu, avant de faire des reproches à Masako. » Il s'est finalement radouci en acceptant du bout des lèvres d'attendre. Soyez donc rassurée. Mais les circonstances font que j'ai été obligé de déclarer mon amour pour vous à Tsuno, avant de m'en ouvrir d'abord à vous, Masako. Je me suis montré maladroit. Pardonnez-moi.

Dès que j'en aurai fini avec mon travail, je pourrai revenir au Japon, mais je ne sais pas combien de temps durera mon absence. Cinq jours, dix jours ? Je l'ignore. Mais pourquoi ne viendriez-vous pas à Paris ? Ainsi, je m'occuperais tranquillement de l'affaire en cours, et vous en profiteriez pour visiter Paris. Et une fois les problèmes réglés avec ma société, je ferais bien le tour de l'Europe. Nous pourrions nous marier en Suisse ou en Italie…

M. Miura peut se charger de tous les préparatifs nécessaires pour ce voyage, y compris de votre passeport. C'est un professionnel dans sa partie, et il est connu, vous seriez donc à Paris beaucoup plus rapidement que vous ne le croyez. Réfléchissez à ma proposition en dégustant les mousserons fraîchement ramassés dans la montagne. Quoique… comme la loi japonaise exige d'attendre six mois pour se remarier après un divorce, paraît-il, mon plan est peut-être impossible. Laissez M. Miura régler les frais d'hôtel. Il doit retourner demain soir à Tôkyô, mais vous, reposez-vous jusqu'à après-demain. Je vous aime. C'est un peu curieux de prononcer ces mots alors que je ne vous ai pas vue depuis le lycée et que nous sommes devenus des adultes, mais que puis-je y faire, je vous aime. Ayez la gentillesse de répondre à ma lettre cette fois-ci. Ne déchirez pas ou ne piétinez pas de votre talon ce mot écrit à la hâte.

Takayuki

8

Le 21 octobre

Jirô Tsuno,

Je te raconterai tout plus en détail dès le retour de M. Takayuki Saeki, mais je vais bientôt partir de la maison. Jusqu'à présent, je m'entêtais à ne pas vouloir signer la déclaration de divorce ni à apposer mon sceau, mais j'arrête, c'est fini. Ce matin, je suis revenue du Tôhoku par le premier train, et je suis allée à la mairie de l'arrondissement pour obtenir des formulaires de déclaration. J'ai signé dans la colonne « Epouse » des signataires et j'ai apposé mon sceau. Pour un divorce à l'amiable, il faut deux témoins, je te laisse t'en occuper. Celui qui t'apporte cette lettre en même temps que le formulaire de déclaration, s'appelle M. Miura et c'est un employé de la maison de commerce Saeki. Si tu as quelque chose à lui demander, adresse-toi à lui. Et maintenant, il ne me reste plus qu'à te souhaiter d'être heureux. Moi, je suis très heureuse. Je quitte le monde de la boue pour le monde de la neige. Quoique, tu ne dois pas comprendre de quoi je parle.

Masako Funayama

9

Le 21 octobre

Chère maman,

J'espère que tu vas bien. Comme j'avais des choses à faire hier à Yamagata, je t'ai envoyé de là-bas des *benibana sômen*[1], c'est un plat très joli, tu verras, de couleur rouge. Tu n'as plus besoin de m'envoyer de l'argent pour m'aider à payer mon loyer, car j'ai gagné suffisamment d'argent pour tenir jusqu'à la cérémonie des remises de diplôme au mois de mars prochain. Deux mois de travail viennent de me rapporter trois cent mille yens. Et en plus, j'ai gagné tout cet argent en écrivant quatre lettres, et en allant en voyage d'affaires (?) à la station thermale de Kaminoyama à Yamagata, c'est un bon travail, tu ne trouves pas ? Je pense revenir pour la Fête de la neige de Sapporo pendant une dizaine de jours, et comme j'ai l'impression que cela me paiera aussi le voyage, c'était vraiment un bon travail.

Tu veux certainement savoir de quoi il s'agissait. En fait, aux mois de juillet et août, j'ai fait un stage dans les travaux publics, dans une entreprise de construction, la société Tsuno. Un jour, une employée du nom de Tomoko Mizuhara (mais celle-là n'est pas une simple employée. C'est la maîtresse du directeur, c'est une belle femme très forte qui dirige toute seule la société), cette femme m'a donc appelé et offert un *katsudon*[2] en me proposant la chose suivante : « J'ai un problème : l'épouse du directeur ne veut pas signer la déclaration de divorce.

---

1. Fines nouilles japonaises colorées en rouge.
2. Porc pané avec du riz.

J'ai bien une idée pour la pousser à apposer son sceau, mais j'ai besoin d'un collaborateur. Je voudrais que vous m'aidiez, et je vous paierai d'avance trois cent mille yens pour ce travail. »

J'aurais été stupide de refuser tout cet argent. J'ai donc accepté. Mon rôle était de faire semblant d'être un ancien camarade de lycée du directeur qui s'appelle Takayuki Saeki, et d'écrire à l'épouse du directeur. Lorsque j'ai dit que ce serait gênant si je rencontrais le vrai Takayuki Saeki, Mme Tomoko Mizuhara m'a répondu qu'il n'y avait aucun risque puisque ce monsieur était mort il y a trois ans. L'homme pour qui je me suis fait passer disposait d'un bureau à Akasaka, c'était un gros importateur qui parcourait l'Europe la moitié de l'année. Il était fasciné par l'épouse de son ami du temps où il fréquentait le lycée, et il l'était resté. Voilà quel était le scénario. Le bureau que Mme Tomoko Mizuhara m'avait loué à Akasaka était épouvantable, avec une unique table tout abîmée et un seul téléphone, mais j'y suis allé chaque jour, et j'ai écrit des lettres d'amour à l'épouse pendant toute cette période. Ce M. Takayuki Saeki pour qui je me faisais passer ne cessait d'envoyer des cadeaux à l'épouse, mais c'était Mme Tomoko Mizuhara qui se chargeait de ce travail.

Peu après, l'épouse a commencé à éprouver de la sympathie pour moi, ou plutôt non, pour Saeki, l'homme dont j'avais pris l'identité. Encore un petit coup de pouce et l'épouse allait tomber dans le piège – on l'a donc attirée vers la station thermale Kaminoyama où Mme Tomoko Mizuhara et le directeur se rendaient souvent. Et bien sûr, comme ce Saeki n'existait pas en réalité, on l'a envoyé à Paris pour une affaire urgente, et c'est moi qui suis allé à sa place rencontrer l'épouse, muni d'une carte de visite sur laquelle était inscrit : « Kôchi Miura, employé de la maison de commerce Saeki ».

Et l'épouse qui devenait de plus en plus excitée, a apposé son tampon sur la déclaration de divorce (elle avait l'intention de se remarier avec Saeki et, par conséquent, elle a voulu presser les choses en se disant qu'elle devait divorcer rapidement). Mon rôle était terminé, la maison de commerce Saeki a été dissoute. L'épouse doit attendre le retour de Saeki avec impatience, mais je me demande ce qu'elle fera si elle apprend la vérité. Peut-être me lancera-t-elle un mauvais sort ? Bon, je te laisse pour aujourd'hui, prends bien soin de toi.

Kôichi Miura

XI
ÉPILOGUE – LES OTAGES

1

Jeudi 2 février huit heures vingt du matin

Venez vite à notre secours ! Le preneur d'otages est seul. Mais attention. Il a quatorze bâtons de dynamite attachés autour de la taille avec une ficelle. Il a aussi sur la hanche gauche un couteau de cuisine avec une lame d'au moins une vingtaine de centimètres. Et il ne lâche jamais le fusil de chasse qu'il tient dans sa main gauche. Nous sommes retenus en otage depuis trois heures, que fait la police ? Qu'attendez-vous pour trouver un moyen de nous libérer. Faites vite. Je vous en prie. Je m'appelle Tomoko Mizuhara et j'occupais la chambre 513 de l'hôtel. Mon compagnon Jirô Tsuno est lui aussi pris en otage.

2

8 h 43

Nous sommes dix-huit otages : neuf hommes et neuf femmes. A l'insu du preneur d'otages, nous avons réussi à décider la chose suivante : chaque fois que l'un de nous ira aux toilettes, il vous donnera par écrit des informations sur un bout de papier à portée de main et le jettera à l'extérieur par la lucarne. Tomoko Mizuhara qui a écrit le premier message est ma compagne, et moi, je suis Jirô Tsuno. Je me demande ce qu'est devenu son bout de papier ? J'espère qu'il est arrivé entre les mains de la police.

3

8 h 45

Je m'appelle Mitsutaka Nishimura et j'occupais la chambre 509. Tous les clients du cinquième étage ont été pris en otage dans la chambre 516. Le preneur d'otage a un bonnet de ski, des lunettes de soleil, on ne voit pas bien son visage.

4

8 h 49

C'est Etsuo Mito qui écrit. Je peux vous donner un petit indice concernant le preneur d'otages. M. Taichi Funayama de la chambre 503 m'a murmuré qu'il croyait avoir déjà vu ce jeune homme quelque part. Ce monsieur dirige une société de commerce à Aoto, Tôkyô, et il dit avoir vu un homme qui ressemble beaucoup à ce preneur d'otages dans un restaurant de *ramen* près de l'immeuble de sa société. Je ne sais pas si cela vous aidera, mais je vous le signale.

222

5

J'ai écrit sur mon carnet tout ce qui s'est passé depuis que l'affaire a éclaté. Je le jette par la lucarne des toilettes en même temps que mon bout de papier. Je suis un peintre traditionnel[1]. Je m'appelle Mokudô Kashimi[2]. J'étais dans la chambre 501 de cet hôtel Amamotodai avec ma femme Takako depuis deux jours, pour dessiner d'après nature ce paysage de neige.

6
(Notes de Mokudô Kashimi)

Ce matin, un peu après cinq heures trente, j'ai été réveillé par ma femme que je sentais bouger dans la chambre, et en effet je l'ai vue qui se dirigeait vers la porte après avoir mis une veste sur ses épaules. J'ai tapé des mains pour l'obliger à s'arrêter (je suis sourd-muet) et lui ai demandé par écrit sur notre carnet réservé aux dialogues : « Que se passe-t-il ? »

Elle m'a répondu, toujours par écrit : « Un employé de l'hôtel vient de frapper à la porte. Il a quelque chose d'urgent à nous dire. »

Puis elle a ouvert la porte. Or, dans le couloir, il y avait un jeune homme qui tenait un fusil de chasse

---

1. Il s'agit d'un sourd-muet. C'est l'un des deux personnages supprimés dans l'édition française en raison de l'impossibilité de traduire les jeux de mots japonais.

2. Nom rare. C'est une habitude chez les artistes de prendre un nom d'emprunt.

dans les mains. Il avait dix-huit ou dix-neuf ans, et c'était un garçon trapu. Il était blanc comme un linge. Il avait autour de la taille des bâtons de dynamite attachés avec une ficelle et l'ensemble ressemblait à une ceinture de chasse remplie de balles, et sur sa hanche gauche j'ai aperçu un couteau de cuisine. Ma femme est revenue vers moi pour écrire en vitesse sur le carnet : « Ce jeune homme veut nous prendre en otage. Il veut que nous sortions tout de suite pour nous séquestrer dans la chambre 516 du cinquième étage, au fond du couloir, mais il nous garantit la vie si nous ne faisons aucun bruit et si nous n'opposons aucune résistance. Il pense nous retenir enfermés seulement une demi-journée. Que décidons-nous ? »

Je lui ai écrit ma réponse : « Devant des bâtons de dynamite, un couteau de cuisine et un fusil de chasse, que pouvons-nous dire d'autre que *yes* ? »

Ensuite, le jeune homme a fait preuve d'habileté en se servant de ma femme. Sa méthode était la suivante : il lui demandait de frapper à la porte de chaque chambre, et dès que les clients ouvraient sans méfiance puisqu'ils avaient entendu une voix de femme, il braquait son fusil de chasse sur eux. A chaque fois qu'il prenait de nouveaux otages, il les faisait avancer devant lui en direction du fond du couloir. Lui-même se tenait à l'autre extrémité près de l'ascenseur et de l'escalier, et il surveillait sans lâcher son fusil. Car à l'autre bout, près de la chambre 516, il y a une porte métallique qui donne sur l'escalier de secours. Le jeune homme devait craindre que les otages ne s'enfuient par cette issue, c'est pourquoi il a placé sur cette porte un gros verrou, qui est fermé naturellement. En résumé, le couloir était bloqué à une extrémité par une porte métallique verrouillée, et à l'autre, près de l'ascenseur, se tenait le jeune homme avec son fusil de chasse dans la main, au milieu, nous nous débattions comme des poissons pris dans un filet. Le jeune homme a vidé méthodiquement toutes les chambres les unes après les autres, en commençant par celles proches de l'ascenseur jusqu'à celles du fond du couloir. Puis il a ensuite poussé tous les clients du cinquième étage dans la chambre orientée au nord à l'extrémité du couloir, comme un berger qui fait rentrer ses moutons. J'ai fait circuler parmi les otages du papier et un crayon pour nous permettre de communiquer discrètement par écrit – même si ce ne sont que de grandes feuilles de papier brouillon de chez Kokuyo[1] découpées en morceau – afin de leur demander d'écrire leurs nom et numéro de chambre à l'étage. Il vous suffirait de consulter le registre de l'hôtel, mais je vous les indique ci-dessous au cas où.

Chambre 501 (orientée au sud). Moi, Mokudô Kashimi, et ma femme Takako.

Chambre 502 (orientée au nord). Fumiko Kobayashi. En quatrième année de lettres japonaises à l'université de filles du Cœur-Pur. Elle était venue ici pour faire du ski toute seule. (Consulter le sixième épisode.)

Chambre 503 (orientée au sud). Taichi Funayama. Il paraît qu'il dirige une maison de commerce à Aoto, Tôkyô. Ses employés seraient aux troisième et quatrième étages. (Consulter le premier épisode.)

Chambre 504 (orientée au nord). Kazuko Kôda. Femme qui a l'air plutôt triste. N'a écrit que son nom et son numéro de chambre. On dirait une hôtesse de bar. Mais elle change parfois d'expression, et donne alors l'impression d'une étudiante[2].

---

1. Célèbre fabricant de papier à écrire.
2. Il s'agit du deuxième personnage ne figurant malheureusement pas dans l'édition française pour cause de difficultés de traduction.

Chambre 505 (orientée au sud). Vide.

Chambre 506 (orientée au nord). Junko Obara. Directrice d'un couvent de Sendai. Femme d'une cinquantaine d'années, porte des lunettes. Elle dirige en même temps un orphelinat et dit qu'elle venait chercher des enfants près d'ici quand elle s'est trouvée impliquée dans cette mésaventure. (Consulter le septième épisode.)

Chambre 507 (orientée au sud). Vide également. Le prix des chambres orientées au sud – c'est-à-dire celles avec un nombre impair – est de vingt pour cent plus élevé que celui des chambres orientées au nord. Voilà sans doute pourquoi elles sont souvent vides.

Chambre 508 (orientée au nord). Hideo Aoki et Teiji Ishihara. Tous deux sont professeurs au lycée public Nagaoka de Niigata. Diplômés de l'université de Yamagata, venaient pour la réunion des anciens élèves organisée dans la ville proche de Yonezawa. Cette réunion a lieu demain soir, et leur intention était d'en profiter pour faire du ski ici à Amamotodai. (Consulter le huitième épisode.)

Chambre 509 (orientée au sud). Mitsutaka et Hiroko Nishimura. Jeunes mariés. Travaillent tous deux chez un grossiste en papeterie de Asakusabashi à Tôkyô. Etaient en voyage de noces et aussi en vacances de sports d'hiver. (Consulter le quatrième épisode.)

Chambre 510 (orientée au nord). Tadao et Mihoko Takahashi. Couple dont le mari est professeur de lycée. (Consulter le neuvième épisode.)

Chambre 511 (orientée au sud). Vide.

Chambre 512 (orientée au nord). Etsuo et Hiroko Mito. Couple marié. Le mari est employé dans une société de commerce. Vont partir ensemble en Australie. Lui doit être muté dans ce pays pour aller faire des achats d'uranium. (Consulter le deuxième épisode.)

Chambre 513 (orientée au sud). Jirô Tsuno et Tomoko Mizuhara. C'est ce qu'on peut appeler un voyage entre amants. Un gérant d'une société de construction et son employée. (Consulter le dixième épisode.)

Chambre 514 (orientée au nord). Toshio et Fumiko Furukawa. Ils sont aussi en voyage de noces, mais le mari a dans les quarante-cinq ans, et la femme vingt de moins, ce qui est assez rare. Ce qui est encore plus étrange, c'est que le mari est amnésique. Mais comme il ne cesse de sourire, cela nous fait beaucoup de bien. (Consulter les troisième et cinquième épisodes.)

Chambre 515 (orientée au sud). Vide.

Chambre 516 (orientée au nord). Chambre du preneur d'otages.

Maintenant, la chambre 516 où nous sommes tous enfermés. Comme vous devez le savoir, il y a à l'intérieur sur la droite une porte qui donne sur les toilettes et la salle de bains. A gauche, se trouve un placard encastré dans le mur. Le preneur d'otages reste en permanence adossé à ce placard en gardant le canon du fusil dirigé vers nous.

C'est une chambre à l'occidentale, d'une superficie d'une douzaine de tatamis si on compte à la japonaise. Il y a deux lits jumeaux d'une personne, et une grande fenêtre face à la porte d'entrée. Dans cette pièce d'une douzaine de tatamis où nous sommes entassés à dix-huit, nous étouffons. Nous avons demandé au preneur d'otages d'ouvrir un instant la fenêtre, mais il a refusé en nous disant « Il y a près de deux mètres de neige sous la fenêtre. Si vous sautez, vous n'aurez même pas une égratignure. C'est comme si je vous ouvrais la voie pour prendre la fuite. Je n'ai donc pas intérêt à vous laisser l'ouvrir. Si n'importe lequel d'entre vous essaie seulement d'entrouvrir cette fenêtre, je le tue sur-le-champ ! »

7

9 h 05

Le preneur d'otage dit qu'il va libérer un otage. Il a l'intention de lui donner une feuille de papier sur laquelle il a écrit ses revendications. Acceptez-les !
Écrit dans les toilettes par Teiji Ishihara.

8

(Revendications transmises par Kazuko Kôda)

Je m'appelle Hiroshi, le frère cadet de Sachiko Kashiwagi. Ce nom vous dit quelque chose ? En effet, c'est cette Sachiko Kashiwagi qui a tué le 28 juillet de l'année dernière la petite Masako, la fille aînée d'un homme qui s'appelle Taichi Funayama, à Aoto, Tôkyô. Ma sœur est actuellement en prison à Tochigi. Sa condamnation à douze années de prison est justifiée puisqu'elle a tué une petite fille inno-cente. Mais en y réfléchissant bien, je pense que le vrai coupable, c'est Taichi Funayama. Ce type a séduit ma sœur qui était l'une de ses employés avec des paroles enjôleuses, en lui disant par exemple « Je veux faire de toi ma femme », et elle est devenue sa

228

maîtresse. Mais quand sa femme légitime a appris leur liaison, il a congédié ma sœur. Et ce n'est pas tout, lui et sa femme ont fait croire à leur petite Masako que cette fille était le diable qui cherchait à détruire leur famille. Et que si elle la rencontrait, elle devait la traiter de « diable ».

Ma sœur a donc entendu la petite lui crier « ouhouh, tu es le diable », et sur le coup de la colère elle a serré inconsciemment la gorge de l'enfant. Ma sœur est coupable, mais Taichi Funayama l'est aussi. Vous ne trouvez pas injuste que dans cette affaire elle soit la seule à être accusée de crime. Si on considère que c'est quelqu'un d'inhumain, alors, Taichi Funayama l'est aussi. C'est une brute sans cœur. Evidemment, moi qui prend un air important pour parler en me retranchant derrière des otages boucliers, je suis aussi quelqu'un d'inhumain…

Mais inutile de s'éterniser plus longtemps. Voici ce que je demande : Sortez ma sœur Sachiko Kashiwagi de sa prison de Tochigi et amenez-la moi jusqu'à cet hôtel Amamotodai. Elle m'a toujours dit qu'elle souhaitait revoir même brièvement Taichi Funayama. Elle m'a expliqué qu'elle voulait lui demander pardon. Il sait qu'elle veut le rencontrer, elle lui a écrit plusieurs fois pour qu'il vienne lui rendre visite, mais il n'a jamais répondu ni fait le moindre signe. Il a la trouille. C'est vraiment un lâche. Vous comprenez maintenant les raisons qui m'ont poussé à m'enfermer avec des otages.

Nous sommes vraiment deux frère et sœur complètement stupides. Ma sœur a la folie de continuer à crier qu'elle veut revoir même brièvement l'homme qui l'a trahie. Quant au frère, il s'enferme dans une chambre d'hôtel avec des otages pour permettre à cette sœur de réaliser son vœu absurde. Nous ne sommes décidément pas intelligents. Mais ma sœur représente tout pour moi. Et même si son souhait est insensé et stupide, si c'est ce qu'elle souhaite, j'irai jusqu'à donner ma vie pour lui permettre de le réaliser. Et même si c'est elle qui l'a choisi, ma sœur a gâché ses plus belles années de femme. C'est une fille malheureuse. Donc, je veux réaliser tous ses vœux, y compris les plus insensés.

Quand j'ai su que ma sœur voulait voir Taichi Funayama, je me suis fait engager l'automne dernier chez un marchand de *ramen* qui me logeait également, à proximité de la maison de commerce Funayama à Aoto, et ainsi je pouvais surveiller discrètement les mouvements de Taichi Funayama en écoutant parler ses employés qui venaient au restaurant en tant que clients. Au début du mois de janvier, j'ai appris qu'il allait partir avec certains de ses employés dans la station de ski Amamotodai près de la ville de Yonezawa. Je me suis débrouillé pour interroger une fille du service administratif de la société Funayama, et j'ai réussi à savoir qu'ils avaient réservé quatre chambres dans cet hôtel pour quatre jours, à partir du 1er février. J'ai téléphoné au réceptionniste afin de vérifier l'information. C'était vrai, ce type avait réservé une chambre. Le jour même, j'ai démissionné du restaurant de *ramen*, et je suis arrivé ici à Amamotodai. Puis j'ai attendu le jour de son arrivée en prenant un travail temporaire où je devais damer la neige dans la station de ski.

Le 1er février, c'est-à-dire cet après-midi, ce type est arrivé comme prévu à l'hôtel. Comme je m'étais arrangé pour sympathiser avec un garçon de l'hôtel, j'ai pu lui demander à quel étage était la chambre de ce type. Les trois derniers étages sont réservés aux chambres des clients, mais au deuxième se trouvent les restaurants, les bars et salles de jeux, et le bruit continue tard dans la nuit. Deux des chambres réservées par la société Funayama sont au troisième étage, une autre est au quatrième, et la dernière est au cinquième. Ce qui fait en tout quatre chambres. Or il est impensable qu'on installe un directeur de société au troisième, juste au-dessus du deuxième qui reste si bruyant jusqu'à une heure tardive de la nuit. Il devait donc se trouver soit au quatrième soit au cinquième. J'en ai conclu qu'il était à l'étage supérieur. De là-haut, la vue est plutôt belle, et quand il fait jour, on a l'impression de pouvoir toucher la ville de Yonezawa tant elle semble proche, à l'est on voit le mont Zaô, et au nord on peut apercevoir la chaîne de montagnes Asahi. Le garçon m'a appris que Taichi Funayama occupait seul la chambre 503. Je ne m'étais donc pas trompé dans mes déductions.

Je suis allé voir le réceptionniste et je lui demandé : « S'il reste une chambre de libre au cinquième, tu pourrais me laisser y passer la nuit. J'ai dragué une étudiante de Tôkyô qui est venue faire du ski dans la station. Et il me faut absolument une chambre pour pousser plus loin l'aventure. Je peux te régler à l'avance. »

Et le réceptionniste m'a donné la clé avec un sourire. Voilà à peu près comment les choses se sont passées.

Comme j'étais conscient de ne pas pouvoir écrire une aussi longue lettre de revendications en gardant mon fusil braqué sur les otages, je l'ai écrite hier soir. Je ne peux pas non plus répondre au téléphone et surveiller en même temps les otages. Ce serait catastrophique pour moi, ils pourraient en profiter pour m'attaquer de tous côtés.

Je refuse donc les contacts par téléphone. Contentez-vous d'aller sortir ma sœur de la prison de

Tochigi et de me l'amener sans chercher à me parler. Et faites vite. Prenez un hélicoptère. J'attends jusqu'à treize heures. Je garantis la sécurité des otages jusqu'à treize heures. Mais n'essayez pas de me doubler pour venir à leur secours. Sinon, je répondrai d'une autre manière. Je tuerai tous les otages sans aucun scrupule. Je les libérerai quand l'entretien entre ma sœur et Taichi Funayama sera terminé. Je jetterai alors mes armes et je me rendrai à la police.

Hiroshi Kashiwagi
Ecrit à vingt-trois heures trente le 1er février

9

Ecrit à 11 h 05

Je m'appelle Junko Obara et je dirige le Jardin de lys blancs des anges, un établissement pour orphelins et enfants de familles modestes situé dans la banlieue de la ville de Sendai. Depuis qu'il a libéré l'une des otages, Mlle Kazuko Kôda, le preneur d'otages reste très calme et il garde le sourire aux lèvres. Il est évident que si nous tentions d'ouvrir la fenêtre ou de faire un pas dans la chambre, il se mettrait à crier avec un air menaçant, mais tant que nous ne bougeons pas, il affiche un air serein.

A dix heures trente-cinq, ce jeune homme a sorti un carton du placard et il l'a poussé vers nous avec le pied en nous disant « Dites, vous devez tous mourir de faim. Je vous ai préparé des petits pains et du lait, calez-vous donc l'estomac avec ça. » Et il a ajouté : « Ma sœur va arriver à l'hôtel à treize heures. Je vous libérerai tous à ce moment, alors je vous demande de

232

patienter encore un peu. » Je vous prie de bien vouloir répondre à ses revendications le plus rapidement possible. Et je vous remercie d'éviter tout mouvement qui risquerait d'énerver le preneur d'otages. C'est le souhait unanime de tous les otages.

10

11 h 42

Je viens d'entendre à l'instant au bout du couloir – sans doute devant l'ascenseur – la voix du commissaire de police qui criait au preneur d'otages « Hiroshi Kashiwagi ! Ta sœur arrive par hélicoptère à l'hôtel. Elle sera là à 13 heures au plus tard. Attends tranquillement et ne fais pas de mal aux otages. »

Je remercie les autorités d'avoir réagi aussi rapidement.

Fumiko Kobayashi

11

12 h 30

C'est M. Taichi Funayama qui était juste avant moi aux toilettes, mais il n'a sans doute pas pu vous envoyer d'informations par écrit. Car le preneur d'otages le traite d'une manière différente des autres. Chaque fois qu'il va aux toilettes, le preneur d'otages lui ordonne de faire ce qu'il a à faire en laissant la porte ouverte. Il est donc le seul à ne pas pouvoir lancer de messages par la lucarne.

233

Et à ce propos, d'après les observations que j'ai faites, j'ai l'impression qu'il se passe quelque chose de mystérieux entre le preneur d'otages et M. Funayama. Auriez-vous une idée à ce sujet ? Il me semble que la clé permettant d'éclaircir cette affaire se trouve dans la relation qui lie ces deux êtres. Merci de faire des recherches dans ce domaine.

Le preneur d'otages vient justement de se comporter d'une manière bizarre. Au moment où M. Funayama est entré dans les toilettes avant moi, le preneur d'otages lui a tendu un petit bout de papier. Il lui a ordonné de laisser la porte ouverte pendant qu'il était à l'intérieur, et quand M. Funayama est ressorti, il lui a repris ce papier dont je viens de parler. Le visage de M. Funayama à ce moment-là, était, comment dirais-je, d'une pâleur cadavérique.

Qu'y avait-il donc sur ce papier ? Le preneur d'otages l'a brûlé aussitôt après l'avoir récupéré. Quand M. Funayama est revenu à sa place, je lui ai fait passer un papier où je lui demandais : « Qu'y avait-il sur ce bout de papier ? » Mais l'autre ne cessait de trembler, il ne m'a pas répondu. Ce qui vient de se passer m'intrigue assez, et je tenais à vous en parler.

Mokudô Kashimi

12

Dans cinq minutes, il sera treize heures ! Pourvu qu'il ne nous arrive rien, sauvez-nous la vie. Faites ce que vous a dit le preneur d'otages, je vous en prie. A part M. Taichi Funayama qui tremble malgré sa couverture sur les épaules, les autres otages vont tous bien.

13
(Journal Les Dernières Nouvelles de Yonezawa, *édition du 3 février, page 1.)*

… Le preneur d'otages Hiroshi Kashiwagi qui guettait sur le seuil de la porte entrouverte de la chambre 516, en gardant son fusil dans la main droite, a serré très fort sa sœur aînée Sachiko contre lui avec son seul bras libre. Pendant ce court instant, M. Taichi Funayama a sauté au dehors en ouvrant la fenêtre de la chambre, mais sa tête est allée s'écraser sur le sol et il est mort sur le coup. Comme les autres otages à l'intérieur étaient distraits par les retrouvailles du preneur d'otages et de sa sœur, qui se trouvaient devant eux, à la porte d'entrée, personne ne s'est aperçu que M. Funayama sautait par la fenêtre.

Après avoir échangé deux ou trois mots avec sa sœur, le preneur d'otages l'a fait entrer dans la salle de bains, puis il a annoncé à ses otages : « Je vous remercie beaucoup. Excusez-moi de vous avoir retenus enfermés dans un espace aussi exigu pendant toute une matinée. Veuillez maintenant sortir en ordre l'un après l'autre. Monsieur Taichi Funayama, vous, vous sortez le dernier comme je vous l'ai demandé tout à l'heure quand vous êtes allé aux toilettes. »

Mais M. Taichi Funayama ne s'est pas montré. Le preneur d'otages a crié dans la chambre : « Qu'est-ce qui vous arrive monsieur Funayama, cela vous fait-il horreur à ce point de voir ma sœur ? » Les quatre policiers de Yonezawa ont profité de son moment d'inattention pour se jeter sur lui, et ils l'ont arrêté en flagrant délit de séquestration et port d'armes interdit par la loi. Au cours de son interrogatoire, Hiroshi Kashiwagi a déclaré ce qui suit : « Je suis vraiment désolé d'avoir troublé l'ordre public en provoquant toute cette agitation. Je suis résigné à subir la condamnation que l'on m'infligera, quelle qu'elle soit, mais je ne m'attendais pas à ce que M. Funayama ait à ce point horreur de ma sœur. Je voulais tout simplement donner à ma sœur Sachiko l'occasion de le voir… »

En dehors de M. Funayama, tous les autres otages vont bien. Mme Fumiko Furukawa notamment a raconté : « Le preneur d'otages s'est conduit en gentilhomme du début à la fin. J'ai en effet eu peur dans la première demi-heure, mais ensuite, c'est passé. Je ne savais pas que M. Funayama avait sauté par la fenêtre. Je l'ai appris un peu après notre libération. Cette nouvelle m'a sidérée. On vient juste de me dire pourquoi le preneur d'otages s'était enfermé avec nous, et je pense que M. Funayama aurait dû aller la voir. Rien ne l'obligeait à fuir ainsi, n'est-ce pas ? Le preneur d'otages a dix-neuf ans, paraît-il. Il est encore mineur[1], et il s'agit d'un crime dont le mobile est… disons beau et émouvant, puisqu'il consistait à permettre à sa sœur de revoir son ancien amant, vous ne trouvez pas ? Je prie pour que la peine prononcée contre lui soit la plus légère possible. »

---

1. Au Japon, la majorité est fixée à vingt et un ans.

14

(Les phrases ci-dessous sont extraites de la conversa-
tion échangée par écrit entre Mokudô Kashimi et sa
femme Takako dans le train de première classe de
l'express Tsubasa *n° 2 qui est parti de Yonezawa à dix-*
sept heures vingt-quatre le 3 février en direction de la
gare d'Ueno à Tôkyô.)

« Vous regardez par la fenêtre depuis tout à
l'heure, mon chéri. Pourtant, il fait nuit et on ne voit
rien. Que se passe-t-il ? »

« J'essaie d'éclaircir le mystère. Ou plutôt, je suis
en train de l'éclaircir. »

« De quel mystère parlez-vous ? »

« De l'affaire mystérieuse d'hier. C'était un véritable assassinat. Et très habilement organisé. Figure-
toi que Taichi Funayama a été assassiné. »

« C'est impossible ! M. Funayama a sauté lui-
même par la fenêtre ! »

« Attends un peu. Je vais tout t'expliquer dans
l'ordre. Pourquoi le preneur d'otages s'est-il enfermé
dans la chambre 516 avec nous ? Il avait besoin de
témoins. Et plus ils étaient nombreux, mieux c'était
pour lui. Alors, il a enfermé tous les clients du cinquième étage dans la chambre 516. Tous les otages, à
l'exception bien sûr de Taichi Funayama, ont témoigné auprès de la police de la chose suivante :
"Jusqu'à l'apparition de Sachiko Kashiwagi à
l'entrée de la chambre 516, Taichi Funayama était à
l'intérieur de la chambre. Mais quand les otages sont
sortis de la pièce, lui n'y était plus. Pendant tout ce
temps, le preneur d'otages est toujours resté près de

la porte. Il n'a pas eu l'occasion de parler à M. Funayama, encore moins de le toucher." »

« Mais, c'est la vérité ! »

« Justement ! »

« Hiroshi Kashiwagi avait absolument besoin des témoignages de ses nombreux otages. Au fait, tu dois te souvenir du moment où M. Funayama est ressorti des toilettes tout pâle. M. Hiroshi Kashiwagi lui avait tendu un morceau de papier et il lui a repris à sa sortie pour le brûler aussitôt. Dans cette affaire, il me semble qu'il y a trois armes, la première étant ce bout de papier. Qu'était-il donc écrit sur ce bout de papier ? »

« Mais c'est clair. Au moment de nous faire sortir de la chambre, Hiroshi Kashiwagi a dit : "Monsieur Taichi Funayama, vous, vous sortez le dernier comme je vous l'ai demandé tout à l'heure quand vous êtes allé aux toilettes." Sur ce papier, il avait donc sûrement écrit à peu après ceci : "A l'arrivée de ma sœur, je libérerais les otages. A ce moment-là, sors de la chambre le dernier. Et accepte d'entendre ma sœur te dire bonjour." »

« Un être humain ne peut pas trembler et blêmir pour si peu. Sur ce papier, je crois plutôt qu'il était écrit quelque chose comme : "Nous allons nous suicider ensemble tous les trois, ma sœur, toi et moi, avec ma dynamite." Hiroshi lui a sans doute laissé craindre qu'à l'arrivée de sa sœur, quelque chose de terrible allait se passer. En comparant cette chose terrible et un saut dans le vide par la fenêtre du cinquième, M. Funayama a préféré choisir la seconde solution. Par conséquent, c'était sûrement une proposition terrifiante. Hiroshi a dû faire allusion à la "mort" en s'adressant à M. Funayama. »

« Et quelle était la deuxième arme ? »

« Les mots. Quand quelqu'un lui a demandé l'autorisation d'ouvrir la fenêtre pour aérer, il a refusé, le visage rouge de colère, en disant "Il y a près de deux mètres de neige sous la fenêtre. C'est comme si je vous préparais la voie pour prendre la fuite. Je n'ai donc pas intérêt à vous laisser l'ouvrir. Si n'importe lequel d'entre vous essaie seulement d'entrouvrir cette fenêtre, je le tue sur-le-champ !"

« M. Funayama s'est laissé piéger par cette phrase. Il a cru que même s'il se jetait par la fenêtre, le tas de neige en bas l'accueillerait en douceur.

« Mais, la veille, quelqu'un avait répandu de l'eau chaude salée sur la neige entassée sous la fenêtre de la chambre 516. Et ce quelqu'un doit être Hiroshi... »

« De l'eau chaude salée ! »

« L'eau chaude fait fondre la neige. Que devient la neige fondue ? Elle devient de l'eau. Et puis cette eau gèle. A cause du sel, pendant la nuit, l'eau congelée devient un bloc de glace. Le matin, même si le soleil se lève, cette chambre est orientée au nord, la neige reste glacée comme par hasard. Tu comprends ? La voilà la troisième arme, la neige glacée ! Et justement tout à l'heure, quand nous avons quitté l'hôtel, je me suis arrêté à l'endroit où M. Funayama est mort sur le coup après sa chute, et j'ai un peu léché la neige. Elle était salée. Pourquoi était-elle aussi salée à cet endroit ? C'est à cet instant-là que j'ai commencé à faire des suppositions. »

« Mais comment a-t-il fait chauffer de l'eau ? Je pense qu'il lui en fallait certainement beaucoup.

« Qui prendrait la peine de faire chauffer tant d'eau ? Il a dû la laisser s'écouler d'un tuyau branché sur un robinet de salle de bain. »

« Qu'allez-vous faire, mon chéri ? Allez-vous dire aux personnes de la police quelles sont vos suppositions au sujet de cette affaire ? »

« Je ne sais pas trop. Il s'agit d'un meurtre, c'est certain. Mais je n'ai que des présomptions, et aucune preuve directe. Et puis, de nombreux otages ont témoigné que Hiroshi Kasahiwagi n'avait pas touché un cheveu de M. Funayama. Je crois que je ne peux rien faire d'autre que d'en rester là. »

Achevé d'imprimer
sur les presses
de l'imprimerie Robert
200, avenue de Coulin
13420 Gémenos

Dépôt légal : avril 2000